天下文化

BELIEVE IN READING

唐詩樂遊園

（下）

張曼娟、黃羿瓅——著
王書曼——繪圖

序

歡迎光臨，唐詩樂遊園

張曼娟

大唐盛世。

這四個字代表的就是氣勢恢弘，昂揚自信。

在那樣的時代，女生不用減肥瘦身，因為豐腴健康就是美感，她們可以躍上駿馬，四處馳騁，也可以和男生PK激烈的馬球競賽。在那樣的時代，男生不用逞兇鬥狠，因為俠義就是他們的靈魂，他們可以穿越沙漠，在穹蒼之下，用月光杯飲香醇的葡萄美酒。

在那樣的時代，出現了最有氣魄的女人——則天皇帝；也出現了最為浪漫的君主——玄宗皇帝。那樣的時代，月特別亮，酒特別烈，劍特別快，花特別香。

那樣的時代，生出了許多玲瓏心竅、宛若貶謫人間的神祇，隸屬詩的樂遊園。他們作詩、唱詩，還創造了新的詩體——絕句與律詩。這些所謂的近體詩，精簡細緻，情意充沛，每一首都是藝術品，閃閃發光。深刻的情感，圓融高妙的技巧，充分完整的表達。

雖然唐詩的創作有嚴謹的格律和音韻要遵守，但我們吟詠著這些美好的句子，感覺卻那樣自然親切而順口，全然不覺得束縛。這是成熟韻文的表現——在限定的框架中，跳著最輕靈曼妙的舞蹈。舞者嫻熟酣暢，觀者驚歎感動，框架竟像是根本不存在的。

到底是什麼樣的奧祕，超越了時代，煥發著恆久存在的生命力？

二〇〇六年，我憑著一腔熱情創辦了【張曼娟小學堂】，同年也出版了有聲書系列，第一堂就是「客船開到哪裡去」，談的是張繼的〈楓橋夜泊〉這首詩，不僅欣賞他的描寫技巧，也穿越到他失眠的那個夜晚，揣摩他的心境。連串的挫敗與失意，襲擊而來，與那些功成名就、志得意滿的人相比，他只是一個失敗者，但在客船上的那一夜，卻因為這首詩，他突圍了，在唐詩樂遊園裡，取得了一個醒目的席位。

就從張繼的這首詩開始，【張曼娟小學堂】與有聲書的出版，得到超乎想像的迴響和支持，不分年齡的許多朋友都沉浸在重讀經典的快樂中。「什麼時候才能出版紙本書呢？這些好東西應該要細細的閱讀，讀過一遍又一遍呀。」就像是我們走進樂遊園，便希望不要天黑，可以一直的開懷歡笑。

從有聲書變為紙本，對我來說，卻又是一項艱鉅的工程。經過了七年的籌劃與醞釀，我心中的那座樂遊園有了一個輪廓，而作家黃羿瓅老師也答應了我的邀請，一起投入這部作品的寫作。

在《唐詩樂遊園》中，我們試圖發掘讓唐詩吟誦起來口齒生香、愛不釋手的奧祕。

從初唐的「神童資優班」開始，唐詩的卷軸開展，盛唐的李白、杜甫、王維、孟浩然、高適、岑參，再到中唐的白居易、劉禹錫、元稹、柳宗元、韓愈，最終是晚唐的杜牧、李商隱，總共六十五位詩人。他們的生平際遇與生命轉折，表現在不同時期的詩作中。了解他們的生命故事，發覺這些詩句的情境都是可以觸摸、嗅聞、品嘗的，有時甜蜜得令人微笑，有時苦楚得引人落淚。

唐詩有主題與風格的差異，於是便有社會寫實與浪漫派，田園詩與邊塞詩，還有詠史、詠物、詠季節等等，總共收錄解析了二〇五首詩。

我們認為唐詩的閱讀應該充滿魅力，也充滿創作的靈感與啟發。在教科書以外，在坊間的各種補充教材以外，期望《唐詩樂遊園》的每一個章節都能觸動讀者的心，感受到源源不絕的樂趣。

天下文化提出了讓經典更新穎的想法，與我的理念不謀而合。從插畫到美術設計，都呈現出現代感。唐詩穿越千年歲月，來到二十一世紀，應該是一個少年，有著無限可能和一雙燦亮亮的眼睛。

這翩翩少年正站在樂遊園的入口處，向你遞上一張輝煌的入場券，你可以跟著李白進入楊貴妃的牡丹園；隨著崔顥目送高樓上的黃鶴遠去；在白居易的船上聆聽琵琶女的演奏；與杜牧一同細數江南煙雨中的樓台……

歡迎光臨。祝你樂而忘憂。

二〇一三年，秋日白露

目錄

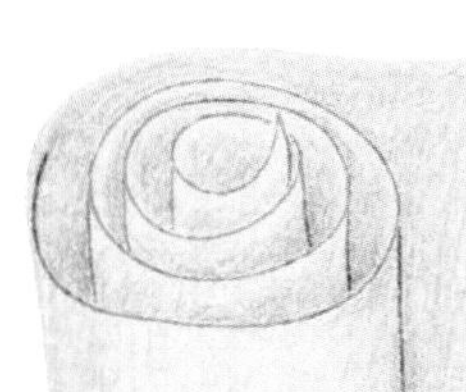

134

主題十一　悠長勻稱的脈動——中唐詩

主題六
一望無際草原香——邊塞詩

大唐就是不一樣

哼完了悠閒的田園調，接著來唱激昂的邊塞曲。在這個主題裡，可以認識好多唐朝雄壯威武、或詮釋情感絲絲入扣的獨唱家。他們當然也慷慨激昂的合唱，交響出歷史上別樹一格的樂章。

唐朝是漢民族所建立的王朝中，版圖最大的，連今日的越南、韓國、中亞、西伯利亞，都有大部分國土曾經屬於大唐王朝。自李唐建立，國力愈發強盛，社會經濟也日益富裕。在此情形下，內地和邊疆各族、中外交流極為密切，海納百川的民族融合性更達到空前的開放。

所以唐朝並沒有「種族歧視」這回事，少數民族與外國人都能成為王公貴族或高級將領，日本人阿倍仲麻呂就在玄宗時代當了許多年官，與李白、王維成為好朋友。

那時的首都長安，富麗繁華，萬國來朝，是每個人、甚至外國人都想「朝聖」的都城，簡直就是「世界中心」呢。

處於這種非常不一樣的開闊氛圍裡，做什麼都是大氣磅礴的。文人的筆不僅記錄了一切，更開創出新穎的、後代幾千年也難以超越的文學風貌。

可以想像這樣的年代嗎？

同樣描繪月亮，唐朝人寫的是像張九齡「海上生明月，天涯共此時。」的無邊廣闊；李白「明月出天山，蒼茫雲海間。」的雄渾氣勢。

或是描繪大江大水，有李白的「飛流直下三千尺」、「黃河之水天上來」，以及王之渙「黃河遠上白雲間」那種波瀾壯闊，皆遠遠超越其他朝代，所謂的「大唐氣象」，成為後人所嚮往的理想世界。

而與眾不同的「大唐氣象」中，尤有「盛唐精神」，更是政治清明、經濟與文化皆高度繁榮的時代標記。便是在這樣的民族自信、社會高度參與下，百業蓬勃；唐朝人的心臟跳得比任何朝代都來得傲然，尤其是文人，他們的血脈積極躍動，幾乎要跳起舞，發出聲音來。

邊塞詩，便是如此時代下的特殊產物。歷朝歷代不乏邊塞、軍旅文學，但從沒有像唐朝發展得這般昌盛宏偉，氣象萬千。

哥哥爸爸真偉大

安史之亂前的唐朝，靠開疆拓土來擴大國家版圖，所以疆域遼闊，卻也長期與邊疆的吐蕃、契丹、匈奴等民族征戰。

當時，許多文人的眼光穿越層層書架，投射在那些遼闊、奇異而陌生的土地上，他們嚮往著冒險與開創，熱衷於親身體驗邊塞軍旅生活，於是慷慨從軍，從戎而不投筆。

尤其，盛唐時的玄宗給予邊將的賞賜和升遷很具吸引力，更激勵了文人見識異地風俗、施展才華、報效國家，在遠離京城的邊陲為國立功，種植官途「希望」，然後「英雄騎馬壯，騎馬榮歸故鄉。」到塞外從軍成為一種風氣，也是當時文人求取功名的另類出路。

在這種社會、歷史背景下，促進了邊塞詩創作的空前繁榮，成

為唐代詩歌的一朵奇葩、一支重要的流派。

整體而言，邊塞詩的寫作題材多為邊塞風光、異族風土、戰爭場面，以及對軍旅、人民艱苦生活的描寫。

在唐朝，當兵就是真的加入戰事，「哥哥爸爸」們隨時會犧牲生命，因此這些邊塞詩的內容相當寫實，也抒發了詩人的愛國情操、豪情壯志與之後對現實的不滿。而即使敘寫戰爭的血腥殘酷，詩中仍多半洋溢著進取之心與遠大抱負。

此外，出征帶來死傷和別離，因此後來也發展出反戰思想及愁緒滿懷的「閨怨詩」。

聽聽草原大漠之歌

西北邊疆大漠，風光奇美，有飛沙、冰雪、草原，還有火山……但若沒有兵戎會更好。說到底，是胡漢相戰使它悽苦、使它酷寒。出戰日久的人，疲累無比，只想快快征服它，就可以凱旋歸鄉了。

其實直到現在，我們還能聽到一些邊塞流傳的民歌，比方〈哥舒歌〉：「北斗七星高，哥舒夜帶刀。至今窺牧馬，不敢過臨洮。」就是在歌頌唐代突厥血統的大將軍哥舒翰，說他總是帶著一把刀巡邏，不管白天或晚上，只要有他在，胡人就只敢遠遠的窺探，絕對不敢越雷池一步。

還有一首北朝時候的樂府民歌，應該就是少數民族敕勒人寫的，由鮮卑語譯成漢語來唱，叫〈敕勒歌〉，至今仍廣受大眾喜愛。它

敕勒歌

民歌

敕勒川，
陰山下。
天似穹廬，
籠蓋四野。
天蒼蒼，
野茫茫，
風吹草低見牛羊。

是非常經典的、快樂的大漠草原之歌。歌中不只有聲音，還充滿了畫面感。

看那「天蒼蒼，野茫茫。」的感覺：天青得不能再青，草原茫茫無際，一陣風拂過，「風吹草低見牛羊」，是不是充滿了單純快活的味道？

這是遊牧民族的生活，可以看到水草豐盛、牛羊肥壯；而那環境是「天似穹廬，籠蓋四野。」多麼空曠、壯麗、清澈，一點都不淒涼，即便在隆冬，也別有風味。塞外，就該是如此明朗豪爽。

敕勒人生活在高聳陰山下的敕勒川原野，這裡天野相接，天幕如帳篷一樣籠罩著遼闊的大地。青天無邊，草原無際，每當大風吹來，就見低頭吃著綠草的成群牛羊，好一幅豐足景象。

熱血遊俠・政治家

盛唐詩壇很多人都寫過邊塞詩，像李白、杜甫、王維等，但「邊塞詩派」則以高適、岑參為代表，還有王昌齡、王之渙、盧綸、崔顥、王翰等。因為他們就此題材大量的寫作，且藝術成就與社會價值皆高，成為當代重要的詩人。

提到邊塞詩，一定要介紹詩風雄健豪放，又帶點浪漫性格的高適。

高適，字達夫，性格豪邁浪漫，能文能武，才名遠播，有遊俠之風。他與傳統文人頗為不同，年輕時是「拒絕聯考的小子」，不願參加科舉；二十歲後北上邊塞薊門，想從軍建功，走出一條異於科舉的文人路。然而滿腔熱血的他，並沒有順利找到那條路，只能

塞下曲

唐・高適

結束浮雲駿，翩翩出從戎。
且憑天子怒，復倚將軍雄。
萬鼓雷殷地，千旗火生風。
日輪駐霜戈，月魄懸琱弓。
青海陣雲匝，黑山兵氣衝。
戰酣太白高，戰罷旄頭空。
萬里不惜死，一朝得成功。
畫圖騏麟閣，入朝明光宮。
大笑向文士，一經何足窮。
古人昧此道，往往成老翁。

拉著浮雲一樣的駿馬，我要從軍出關了。因為外族入侵，天子震怒；而我的將軍十分威武，讓我有恃無恐。戰鼓隆隆，像雷一樣打著大地；軍旗

一直在梁、宋間漫遊。

遊俠的生活是貧困的，他卻洋溢著盛唐特有的，樂觀進取的時代精神，而能和李白、杜甫治遊賦詩，也令他深感歡喜。近五十歲時，他受推薦當個小官，卻因不屑拜迎長官、不忍壓迫人民而辭官，有了壯志難酬的不滿。

之後，他擔任一代名將哥舒翰的幕僚，才開始施展抱負。我們可以從他著名的〈塞下曲〉，看出他為國效命的雄心壯志，並領會那時的人爭先恐後想去邊塞的盛況。

〈塞下曲〉前四句，寫他從軍出征，師出有名，顯現出這是一件值得嚮往的事。接著來到了邊塞，軍隊氣勢強盛，戰場的畫面無比壯觀；而塞外開闊，氣候冷峻，兵器在大太陽下也能爬滿冰霜；還有軍士戰戰兢兢，夜裡也不得安眠的情況。「萬鼓」、「千旗」、「日輪」、「月魄」兩聯，對仗精采。接下來四句，描繪的是戰爭場面的剛偉壯烈。

最後八句則表現出高適的理想和見解。他說這萬里軍戎路，已完全不在乎生死，為的是什麼？就為「一朝得成功」，有朝一日成

颯颯，如火一般生出風來。碩大的太陽讓我不禁放下手中的兵器，頃刻間，兵器卻已爬滿冰霜；到了夜晚，強弓高掛，對著月亮，仍無法安睡。青海雲陣強壓，黑山兵氣橫衡，我們不停酣戰，努力向前，戰罷後連旋頭都掉了。我走了這麼遠的路，完全不在乎生死，為的就是希望有朝一日可以成功，進入漢代那種掛有功臣圖像的麒麟閣和能夠進諫皇帝的明光宮。我看到死守書本的人，總是忍不住想笑。他們只知道偏執於經書、拚命的考科舉，不知變通。很多古人就是這樣考到變成老翁了，還是一無所成啊！

為戰績顯赫、輔佐皇帝有功的臣子，「麒麟閣」和「明光宮」，就是身為人臣最大榮耀的象徵。

如此的期望，不免使他評論起一般只會讀書的文人不知變通，明明有其他的路可走，卻往往讀了一輩子書，沒有功成名就，轉眼之間卻已年華老去，一生都蹉跎了。

這首詩說明了高適對於文和武都可以貢獻國家的獨到觀點，也顯現出唐朝對武官的重視；更重要的是，它可以視為文人嚮往邊塞的一種普遍而坦誠的告白，就是他們爲什麼不做單純知識分子而熱衷於打仗的原因。

雖有這樣的看法，但高適中年以後有機會回到京城，還是覺得不能只靠打仗，於是暫把「大笑向文士，一經何足窮。」拋在旁邊，發憤讀書，最後考上了功名，這樣的生命轉折恐怕是他自己也想不到的吧。

高適中晚年的官途相當不錯，尤其在安史之亂發生後，受到玄宗、肅宗的重用，連連升遷，官至西川節度使，後又任散騎常侍，世稱高常侍。此時他不忘幫助許多當年跟他結交的朋友，像是深為

「老、窮、病」所苦的杜甫。所以高適除了氣魄，還真具有俠士精神。他六十三歲病逝時，杜甫哀慟至極。

官運亨通的高適，一生優秀的作品卻多作於北上薊門和漫遊梁、宋時。這段流浪的歲月儘管貧困且一事無成，卻是他的創作極盛期。尤其薊門時期的〈薊門行〉五首，他實際觀察了邊塞士兵的生活，也歌詠戰鬥精神，例如：「胡騎雖憑陵，漢兵不顧身！」

曾出入戰場、且經歷過窮苦浪遊生活的高適，非常崇敬士兵的英勇，也同情士兵久戍不歸的痛苦。所以他會用政治家的眼光去分析戰略、反映問題，尤其勇於揭露將官腐敗無能、恃寵貪功的現實，長篇代表作〈燕歌行〉中的名句：「戰士軍前半死生，美人帳下猶歌舞。」敘寫的便是這種情況。所以「君不見沙場征戰苦，至今猶憶李將軍。」在沙場征戰多麼艱苦，軍民盼望早日平息戰爭卻不可得，難怪大家至今仍懷念漢朝強將「飛將軍」李廣。

而他第二次出塞到薊北的代表作之一〈薊中作〉，描寫了邊患的嚴重，諷刺權貴阻擋賢才，抨擊統治階級的失策：「豈無安邊書？諸將已承恩。惆悵孫吳事，歸來獨閉門。」抒發了他安邊壯志的失落、不滿與悲憤，此詩也可說是天寶末年邊境的實況寫照。

總的說來，他是一位思想深刻的現實主義詩人，實際參與了邊塞生活與戰爭，成為一個見證者，卻也對大環境感到失望與無奈。

豪俠的羌笛與梅花

寫作題材多樣，但現實主義多過浪漫主義的高適，寫過一首〈塞上聽吹笛〉。由邊塞夜晚聽到的吹笛聲，流露出將士的思鄉之情，是為邊塞壯美浪漫名篇。

「月」和「雪」，是邊塞詩裡最常被形容的，這首詩一開

塞上聽吹笛　　唐．高適

雪淨胡天牧馬還，
月明羌笛戍樓間。
借問梅花何處落，
風吹一夜滿關山。

下過雪後，冰雪消融，戍守胡地邊疆的戰士們，趕著馬群歸來。在明亮的月色中，從軍營中傳來熟

悉的〈梅花落〉曲調。我想問問這些「梅花」都落到哪裡去了？想是和笛音一起被風吹著，一夜之間灑滿關山了吧！

別董大

唐・高適

千里黃雲白日曛，
北風吹雁雪紛紛。
莫愁前路無知己，
天下誰人不識君？

始就形容雪。他說下過雪之後，雪地散發著亮光，十分澄澈；而晚上月亮非常的亮，一群人先聽到塞外少數民族吹的笛子聲，然後才指出在哪裡聽到的——在「戍樓間」，也就是軍營。

接下來講那笛聲，江南樂曲裡有一首〈梅花落〉，聽到這樣的音樂，他便問：梅花會落在什麼地方呢？或這曲調會落在什麼地方呢？語意雙關。

其實沒有人知道梅花會落在何處，就像沒有人知道自己的明天一樣。只見這笛聲被風吹啊吹，吹了一整夜，整個關外山間都迴盪著，如同朔風吹散想像中的落梅花瓣，一夜之間灑滿了關山。

這首短詩把遠離家鄉的情感、不知道明天是什麼的苦悶，以及大漠那種清澄、蕭瑟的氣氛，一一表現出來了。

除了邊塞詩，高適也寫了不少充滿豪邁之氣的動人詩篇，如〈別董大〉。

這是一首贈別朋友的詩，對象是著名的琴師董庭蘭。董庭蘭排行老大，據說因琴藝高妙，後來受到宰相房琯欣賞。本詩開頭便用白描手法寫景，黃雲遮天，與一般的白日不同，暗示送別的場景，

下雪之前，日色昏暗陰沉，黃雲千里布滿長空；北風吹來，南歸的雁鳥鳴叫，大雪終於紛紛飄落了。朋友啊，不要擔心此去的路上沒有知音，憑你的才華，世上有誰會不認識你呢？

整體是昏暗、寒冷與沉重的，呼應離別的心情，及擔心好友前去人生地不熟的遠方。

但下兩句有了轉折的對比，一下子就變成了明亮、誠摯和開朗。他以恢弘豪邁的語調勸慰好友：憑藉著才華，前路必定有知己，必能被天下人所知道、所賞識。

詩人沒有沉溺在別離的感傷之中，反而充滿著信心和力量。其實這時的他仍在浪遊、不得志階段，如此激勵好友，不免也有替自己打氣的味道。

與一般「黏踢踢」的送別詩很不相同，這首詩沒有淒清、徘徊、離淚，卻豪放激昂、惺惺相惜，充滿樸質率真的情感與信念，意境遠闊而深厚，是相當鼓舞人心的浪漫珍品。

敏銳新奇・藝術家

接著介紹邊塞詩人裡，相當獨特的藝術家——岑參。

岑參，曾為嘉州刺史，世稱岑嘉州。雖出身官宦世家，但父親早逝，家道中落。

他共三次出塞，一生中大半日子都在邊疆度過，擅長寫邊塞風光及戰爭景象，以邊塞詩與高適齊名，並稱「高岑」。岑參說過「功名祇向馬上取，真是英雄一丈夫。」也傾向男兒應立志在戎馬沙場，但「高岑」兩人風格不太一樣。

高適的邊塞詩是豪放、悲壯的，比較重於表現戰鬥的激烈。岑參的則較具有浪漫色彩，他想像力豐富，善於寫景，喜歡用新奇、飄逸的手法，描述邊塞瑰麗雄奇的景色，塑造出一種獨特的生活感

受。色彩濃重、想像奇絕、熱情澎湃，是創作的基本調性，使他的詩顯得突出，令人印象深刻。

只見詩人大筆一揮，塞外狂風漫天、飛沙走石的惡劣環境，便鮮明生動、淋漓盡致的鋪展在我們眼前了。這就是他傑出長篇代表作之一〈走馬川行奉送出師西征〉所描繪的景象。

「君不見走馬川行雪海邊，平沙莽莽黃入天。輪台九月風夜吼，一川碎石大如斗，隨風滿地石亂走。」「走馬川」、「輪台」都是北方或西域地名，農曆九月，也就是秋盡快要入冬時，在乾燥又寒冷、毫無屏障的大漠，夜晚吹來的風，像是在怒吼一般的聲勢懾人。

等到天亮，發現河水都已經乾了，卻見到河床上「大如斗」的碎石，可不是鵝卵石，而是像環山公路在豪雨過後掉下來的那種大落石，令人驚心！但接下來他說，幾個人也扛不起來的大石頭，竟然被風吹得滿地亂走，這景象實在驚悚！

詩人敘寫難免誇張，但大漠裡的風，驚人的氣勢，從而顯現出來了。

接著他又寫大漠的熱。

白雪歌送武判官

唐・岑參

北風捲地白草折，
胡天八月即飛雪。
忽如一夜春風來，
千樹萬樹梨花開。
散入珠簾溼羅幕，
狐裘不暖錦衾薄。
將軍角弓不得控，
都護鐵衣冷難著。
瀚海闌干百丈冰，
愁雲慘澹萬里凝。
中軍置酒飲歸客，
胡琴琵琶與羌笛。
紛紛暮雪下轅門，
風掣紅旗凍不翻。
輪台東門送君去，
去時雪滿天山路。

大漠到底有多熱呢？〈熱海行送崔侍御還京〉中提到「蒸沙爍石燃虜雲」，那些沙子、小碎石都好像被放在蒸籠裡蒸得熱騰騰的，熱到可以點燃天上的雲。「沸浪炎波煎漢月」，而不只是沙，連水也很熱，熱到波浪都沸騰了，咕嚕咕嚕的，好像煮沸了一樣，那樣的熱力可以煎煮月亮了。

山迴路轉不見君，
雪上空留馬行處。

塞外寒冷的北風吹捲起來，把堅韌的白草都折斷了，而才農曆八月的秋天，竟已開始下雪。那大地景象，好似春風吹了一夜，開了千朵萬朵雪白的梨花啊！事實上，飛散的雪花穿入了珠簾，在幃幕上溼冷的融化；就算披著狐皮毛裘，也不覺得暖，連錦緞的衾被都嫌單薄。氣候實在太冷，鎮守邊都的將軍竟然無法控制他的角弓，都護身上的鐵衣也凍到穿不上身。浩瀚的沙海，冰雪縱橫交錯；黯淡的冬雲，密布萬里天空。我們在主帥營帳為你設

把月亮當作荷包蛋來煎，又是別出心裁的誇飾效果，讓讀者看到了奇異的想像力。能達到這樣的效果，必須具備敏銳的觀察力；而有敏銳觀察力和奇特的想像力，才能做出令人讚歎的描寫和形容。

除了非常熱，大漠還相當冷。盧綸的〈塞下曲〉：「月黑雁飛高，單于夜遁逃。欲將輕騎逐，大雪滿弓刀。」就描繪了塞外常積大雪的情況。

我們再來看岑參如何描寫「冷」？在他的代表作〈白雪歌送武判官〉中，有很感官的表現。

農曆八月塞外就下雪了，感覺相當淒清。但詩人突然來了個奇妙的轉折：「忽如一夜春風來，千樹萬樹梨花開。」他說這景象好像一夜之間吹來的是春風，千樹萬樹上白白的東西都像梨花開了一樣。如此形容北國八月的雪，讓人眼睛為之一亮，果真出人意表，雪封之地頓時美得春意無邊，有了幾分溫暖。

這就是靠想像力的苦中作樂啊。脫離了想像，現實生活裡，珠簾、羅幕都冷得溼答答的，狐裘、錦被再多也不夠暖；甚至射箭技

宴飲別，還準備了胡琴、琵琶與羌笛，樂音悠然響起。而送你出去時已經黃昏了，仍是滿天飛雪；大風吹掠著，轅門上的軍旗卻冰得動也不動！在輪台東門目送你離去，茫茫天山路已被大雪封蓋，十分難走。而山路曲折，轉了幾轉後，你消失在雪地中，只留下雪上馬蹄踏過的痕跡。

術很好的將軍也拉不開受凍的弓箭，而士兵的鎧甲鐵戰衣，更是凍到很難穿上身。

他進一步寫冰雪如何的縱橫大地，接著才點出這其實是一個熱鬧鬧的飲宴送別場面，算是軍中一小段的和平生活。在下著雪的黃昏，送客時看到強風吹過紅色軍旗，可軍旗動都不動，因為結冰了，翻動不了。那白雪中相映的紅，十分突出，顯示了色彩的對比感。最後，儘管依依不捨，還是看著朋友留下馬蹄印離開了，憂傷又加了一層。

這首詩不但生動的描寫邊塞氣候的冰寒和戍守的悽苦，還交織著詩人的離情與思鄉愁緒，內涵豐富，意境鮮明而具感染力，正是岑參邊塞詩強烈的藝術手采。

英雄也是會失望，會想家

在〈送李副使赴磧西官軍〉中，岑參化離別惆悵為豪放，寫出「功名祇向馬上取，真是英雄一丈夫。」說一生戎馬、功高立業的李副使，是真正的大丈夫，而自己何嘗沒有那樣的理想和壯志呢？如此豪邁激昂，正代表盛唐人的進取之心。

然而，岑參出將入相之路並不是一帆風順的。

奸相李林甫受到已耽於享樂、不問朝政的玄宗所重用，爲了鞏固自己的相位，李林甫增加駐軍、徵調民兵，卻千方百計的阻撓文臣擔任邊塞要職、嚴防邊帥立功召入朝廷，等於杜絕、阻斷了讀書人從軍求仕這條路。

許多文人大失所望，紛紛自問：為國出生入死、付出了這麼多

日沒賀延磧作　唐・岑參

沙上見日出，沙上見日沒。
悔向萬里來，功名是何物！

看著無邊無際的沙漠，太陽升起，太陽落下，日復一日，前路漫漫。心中忽然有了悔意，何以要離家千萬里，辛苦的求取世俗的浮名呢？

年，到底為了什麼？情緒因而跌落下來，激昂的情懷，轉而成爲淒涼的聲調。

王昌齡說：「百戰苦風塵，十年履霜露。雖投定遠筆，未坐將軍樹。早知行路難，悔不理章句。」便是後悔十年征戎未讀書，如今被權臣斷了將官之路。雖然不一定每個人都知道李林甫從中作梗，但邊塞詩人多互相往來，所以都敏銳的察覺這條仕途的艱難了。

岑參也很失望：「雲沙萬里地，辜負一書生。」、「詞賦滿書囊，胡為在戰場？」認為自己滿腹經綸，出塞從軍卻功名不成，於是提出了「讀書破萬卷，何事來從戎？」的疑問和憤慨，後悔投筆從戎，應該去走傳統但比較保險的科舉之路。

這些文人貢獻了十幾年青春年華，受苦受凍、赴湯蹈火的為國家征戰，卻因為佞臣的私心而抹煞一切，有多麼不甘和沮喪！而皇帝，也不再是當初那位賢君了。

岑參四十歲時在〈日沒賀延磧作〉一詩中，更道出了悲涼與無奈。

他本想在邊疆有所作為，希望卻破滅了。這麼多年，每天看著

逢入京使

唐・岑參

故園東望路漫漫，
雙袖龍鍾淚不乾。
馬上相逢無紙筆，
憑君傳語報平安。

我在塞外向西征行，卻頻頻回首望向在遙遠茫茫東邊的故鄉。衣裳的兩袖，因為常拭思鄉之淚而沾得溼溼的，淚水也總是停不了。途中突然遇到要回京城的你，在馬上互問寒暖後，我想修書卻無紙筆，唯有請你替我捎個口信，向我的家人報平安。

廣袤無邊的沙漠，日升日落，卻仍長路漫漫，沒有終點。「悔向萬里來」，心頭確實浮現了悔意：為何要千里迢迢的來到這黃天雪地裡，求取世人眼中的功名呢？詩短而情意深遠，感慨萬千，也是他對自己一腔熱血的歎息；歎息浪漫的理想和壯逸的豪氣，都似過眼雲煙了。

這也是天寶年間文人普遍的心聲。而李林甫、楊國忠等奸臣的出現，不僅帶來重創唐朝的安史之亂，同時也是盛唐的終結。

長期馳騁邊塞沙場，要受的苦實在太多。除了氣候、環境、死亡對身體的磨難，思念故鄉和家人，更是一種心靈的消蝕。岑參的〈逢入京使〉，就是擺脫高昂熱情的真摰小調。

遠赴西域的他，在離家萬里的路上碰到要東歸京城長安的朋友，便立刻敘起舊來。說著說著，思鄉熱淚洶湧而來。英雄也是會想家的。而軍旅生活行色匆匆，如此的偶遇之下，沒有紙筆，也沒有時間好好寫封信，便請友人捎口信給家人，為自己報個平安。此詩敘事平凡，不加雕琢，情意卻深厚，具有豐富的韻味。

邊塞歌聲此起彼落

除了「高岑」以外的邊塞曲，也是值得聆聽、傳誦不絕的優秀作品。

首先是輩分較長的王之渙。王之渙，字季凌，最著名的作品是大、小朋友都能琅琅上口的〈登鸛雀樓〉：「白日依山盡，黃河入海流。欲窮千里目，更上一層樓。」我們可以看出這首詩的氣魄相當大，所以他的邊塞詩肯定蕩氣迴腸，雄壯有味。

其〈涼州詞〉（又名〈出塞〉），真是千古傳唱。他寫「黃河遠上白雲間」，這「遠上」，是由下往上，有著距離的縱深。黃河會流到哪裡去？流到天上白雲那兒去，因此還是以高度來形容黃河。

涼州詞 其一 唐・王之渙

黃河遠上白雲間，
一片孤城萬仞山。
羌笛何須怨楊柳，
春風不度玉門關。

長長的黃河似乎遠遠流到白雲之上了，高聳的群山中，只有一座孤城鎮守著邊塞。此時，羌笛吹奏起〈折楊柳〉的哀傷曲，何必抱怨楊柳不綠呢？因為催生萬物的春風啊，從來不到玉門關的。

而從漢朝起，只要出了玉門關，就是到了塞外，進了玉門關才算回到中土。「孤城」便是指當時的邊防重鎮玉門關。古時七、八尺為一仞，萬仞就是很高很高了。王之渙用高空俯瞰的角度，描寫孤城被四面八方險峻高山圍繞的感覺，孤立、蒼涼而雄偉，還背負著邊塞將士的滿腹情懷。

此時傳來羌笛聲，而這羌笛聲好像在抱怨：爲什麼春天到了，楊柳還不綠？這不是羌笛之怨，而是生活在苦寒之地的戰士之怨：這裡永遠沒有春天。

這是詩裡的情調，然而也有人說是送別的曲子〈折楊柳〉勾起了邊地征夫的離愁。尤有甚者，說這是比喻原本說好只要立功就升遷的朝廷，後來根本不關心塞外將士的生活，甚至切斷他們的仕途。指玄宗最初對邊將甚爲重視，到後來竟然「春風不度玉門關」了。

這與岑參等人當時的失望是一樣的，但由王之渙寫來，更顯得深沉含蓄，令人感傷，因為讀出了詩裡的多情、悲壯與蒼涼。

相同的情形，又以性格豪放不羈、喜歡喝酒的王翰〈涼州詞〉最爲典型。既歌詠著邊關情景，又呈現出文人矛盾而複雜的心理。

涼州詞

唐・王翰

葡萄美酒夜光杯，
欲飲琵琶馬上催。
醉臥沙場君莫笑，
古來征戰幾人回？

白玉精製的酒杯，斟滿了西域盛產的葡萄美酒；將士們正想舉杯痛飲，騎馬的樂隊立刻彈奏起上戰場的琵琶樂音。唉！我若喝醉了臥倒在沙場上，請勿見笑啊，畢竟自古以來，有多少人能從戰場上回來呢？

詩的前兩句描寫邊疆特有的美酒與酒器，以及騎著馬的樂隊彈奏琵琶的情景，是艱苦荒漠的一次盛宴。而下兩句隨即轉到了戰士的心理。文人走上離家萬里的沙場征戰以求仕，想有一番功業，但從軍難免一死，也不知功名最終是否可以得到。面對生死難卜、前途無光，只有縱情痛飲，暫求一醉，且不惜醉臥沙場，相當的苦悶與無奈。

這首詩一完成，立即博得很大的迴響。儘管歷來解讀不一，但它確實說出了當時從軍求功名的文人悲愴的心情啊！

王昌齡，字少伯，個性狂放，不拘小節，故數度被貶官。他創作豐富，以絕句傳世，尤其擅長七絕，更以邊塞、閨怨、贈別之作名聞遐邇。

從軍行 其四　唐・王昌齡

青海長雲暗雪山，
孤城遙望玉門關。
黃沙百戰穿金甲，
不破樓蘭終不還。

青海湖的上空濃雲密布，使得雪山看起來黯淡無光。戰士戍守的孤城，遙望並護衛著玉門關內的國土。身經沙場百戰的將士身上，金屬盔甲都被磨穿了，但意志絲毫未減，大家發誓不掃除外敵、取得勝利，絕不返回玉門關。

他的邊塞詩音韻高亢，氣勢豪邁，因而有「詩家天子」的美譽。〈從軍行〉七首向來被推為名作，寫出不少戰士勇敢樂觀的壯志豪情，也善於表現征人的內心世界。其中的〈從軍行〉其四，首兩句即寫出背景：青海湖、祁連山、孤城、玉門關，描繪了西北邊陲山海連綿，地勢極為重要的景象；寧靜的氣氛，潛藏著戰鬥的激烈和凶險。

下兩句則有了人的動作和豐富的心思，「黃沙百戰穿金甲」，身經百戰的將士，再怎麼艱苦孤寂，也會無畏的消滅邊疆威脅，還許下「不破樓蘭終不還」的誓言。「樓蘭」在此意指西北邊境的少數民族。

詩裡的禦敵將士英勇豪壯，情操高貴，直言保家衛國的堅定決心，讀來不由令人振奮與敬佩。

王昌齡還有一首後人至為推崇、明朝文學家李攀龍甚至稱為「唐詩壓卷之作」的〈出塞〉，非常具有歷史感及觸動人心的畫面感。

明明是唐朝的詩，卻把秦朝、漢朝也拉進來，意指自秦、漢以來，邊塞戰事便連續不斷，無限感慨中，歷史縱深便跳了出來。

出塞

唐・王昌齡

秦時明月漢時關，
萬里長征人未還。
但使龍城飛將在，
不教胡馬度陰山。

那秦漢時代就已存在的月亮，照拂著秦漢時代就已存在的關塞。但這些跋涉萬里去征戰的無數將士，卻還不得返家。倘若當年鎮守龍城的飛將軍李廣還活著，胡人的騎兵絕對無法這麼輕易的越過陰山。

接下來講距離。突然間，好像有一個文人站在秦、漢以來的關塞口眺望萬里，他腦海中有一個歷史畫面重現：千千萬萬的人長征遠去，至今尚未歸來。他們出塞當然不是為了送死，是以為可以得勝歸來，可大多數人都一去不復返。

於是詩人不禁要問：為什麼讓這麼多人到戰場送死？他感歎，如果那位飛將軍李廣還在世，「不教胡馬度陰山」，絕對不會讓胡人這般耀武揚威，不讓我們的戰士如此絡繹不絕的一去不回。

這是歌詠邊塞的名詩，熱烈讚頌了愛護兵士、驍勇善戰的漢朝名將李廣，準確表達士兵共同的願望：由良將領導殲敵、鞏固邊防，使生活和平，不再有出塞亡命之事。但可怕的是，當權者沒有識人的才能，只得耗費許多物資金錢，將一批批子弟送上戰場，成為一堆堆白骨。全詩有景有情，意境高遠凝壯，令人慨歎，引人再三沉思。

和平，應該是絕大多數人的願望。邊塞詩發展至此，也讓我們聽見另一種思維：反戰。其實邊疆當時雖然有這麼多的戰爭，這麼多人去戰場上搏功名，但還是有人不以為然，陳陶就是如此。

隴西行

唐・陳陶

誓掃匈奴不顧身，
五千貂錦喪胡塵。
可憐無定河邊骨，
猶是春閨夢裡人。

出塞征戰的英勇將士，奮不顧身的誓死殺敵。但五千精銳盡出，竟然全都命喪胡地。可憐啊，這些戰死且無人埋骨的將士們，仍然是深閨夢中思念著的人，因為妻子並不知道丈夫已經犧牲，成為無定河邊的白骨了。

晚唐人陳陶的〈隴西行〉是一首很具代表性的反戰詩。詩的前半，用精練的文字勾勒出激烈殘酷的戰爭場面，我們看到出塞士兵的慷慨激昂、奮不顧身。結果「五千貂錦喪胡塵」，「貂錦」指的是穿著上好軍服的精銳部隊，五千人的性命就這麼葬送在胡地了。

而筆鋒一轉，後兩句才是詩人要表達的中心思想。他說最可憐的是這些將士戰死沙場了，妻子仍在深閨夢裡思念著他們，不知道丈夫已死，甚至無法「馬革裹屍」，根本是無人埋骨。

那些散落在無定河邊的骨骸，是母親的兒子；是妻子的丈夫；是孩子的父親；仍是時時被溫柔惦念著的親人啊。

這首詩反映了唐代邊塞長期戰爭，帶給人民無限的痛苦與災難，對廣大戰士寄予同情。男人絕望的死去了，女人無助的煎熬著每一天，讀詩的人產生了深切的同情，於是不免要問：為什麼要征戰不休？戰爭的苦果總是百姓承擔，究竟是為了什麼？

另一位曹松的〈己亥歲〉，也呈現相似的思想。這詩名和詩人聽來或許陌生，但說到「一將功成萬骨枯」，就如雷貫耳了，詩句

己亥歲

唐・曹松

澤國江山入戰圖，
生民何計樂樵蘇。
憑君莫話封侯事，
一將功成萬骨枯。

　現在連江南都被捲入戰爭裡，人民原本只能砍柴割草艱苦度日，如今連這種平凡簡單的快樂也得不到了。請不要再講打仗可以封官進爵那種話了，每造就出一個將軍，其實是成千上萬的士兵百姓變成枯骨換來的。

比作者本身更具知名度。

　這首詩的「澤國」指的是江南。自從安史之亂後，一向平靜安樂的江南，也捲入一次又一次的戰亂中，加入血淚斑斑的「戰圖」中了。「樵蘇」是指砍柴割草，他回憶起艱苦但單純快樂的日子，而老百姓如何才能回復到從前的生活呢？這話看似輕描淡寫，卻有著沉痛的情感。

　曹松也不認同去戰場上求取封官加爵，因為「一將功成萬骨枯」，每造就一個將軍，實際上要犧牲多少無辜的士兵啊！「一將功成」與「萬骨枯」，對比強烈，顯現出戰爭現實、殘酷的本質，一針見血，蘊含很大的反諷意味，也反映出詩人對將士封侯的另類觀點。

寂寞空閨婦愁怨

大唐百業蓬勃，商業尤其發達，長年在外經商的人很多；而疆域遼闊，邊境多戰事，除了從軍求仕的志願兵，朝廷還須徵調大批將士長期駐守。所以這兩類人的妻子，不免夜夜寂寞，空閨獨守。如此重大的社會問題，自然反映到文學作品中，於是產生了以女性觀點抒發的「閨怨詩」。

「閨怨詩」中的翹楚，首推王昌齡最為著名的〈閨怨〉。

王昌齡的閨怨詩，藝術特色鮮明而高妙。詩中那位不知人間愁苦的少婦，快快樂樂的打扮，享受春日好景。然而——「忽見」兩個字，就是很厲害的轉折了——她忽然看見春風裡的「楊柳色」，楊柳隨著微風輕擺，曼妙動人，而自己卻在這美好時光裡，孤獨的

閨怨

唐・王昌齡

閨中少婦不曾愁，
春日凝妝上翠樓。
忽見陌頭楊柳色，
悔教夫婿覓封侯。

深閨中的少婦，不知道什麼叫憂愁；在春天裡化好妝、打扮得非常美麗，登上彩繪的高樓享受美好的春光。忽然，她看到街

頭的楊柳枝葉茂盛，一片翠綠，韶光中，不禁覺得孤單，想起遠在異地的丈夫，便後悔當初催他離家去求功名了。

春怨　唐・金昌緒

打起黃鶯兒，莫教枝上啼。
啼時驚妾夢，不得到遼西。

我把樹上的黃鶯打得驚飛逃走，不讓牠在枝頭上繼續啼叫。因為牠們的啼叫聲驚醒睡夢中的我，使我不能在夢中去遼西，見到日夜思念的人。

虛度青春。一時之間，愁怨湧上心頭，突然後悔讓夫婿遠行去搏取功名了。

短短二十八字，卻無閒語。掌握少婦的矛盾心理，婉轉曲折的運用春天之色——楊柳色——為見景生情的關鍵，絲絲入扣，簡直通透了人性，使人讀完仍覺餘音繞梁，不愧是寫出「萬里長征人未還」的詩家天子。

另外一首是金昌緒的〈春怨〉，乃唐代女子春閨盼夫的名篇。一般人能在晨光的鳥鳴聲中醒來，是幸福的。本詩一開始，就是個生動但突兀的動作：「打」。打的還是小小的黃鶯鳥，為的是讓牠別再啼叫了，鶯啼「驚妾夢」，把我驚醒了，便不能順著夢中的道路，到遼西去見親愛的丈夫了。

這應當是個年輕的女子，懊惱而認真的表情，卻引來旁人莞爾一笑。女子是天真的，也是癡情的，只要能在夢裡見一見夫婿，就心滿意足了。

詩人打破了一般的思考模式，句句因果，環環相扣，且層層遞進。全詩用字精簡，以女子口吻述說征婦的怨與望，沒有悲情，倒有一點喜劇效果，是很難得的佳作。

站立在秦漢時代就建築起來的防禦工事，如今已經頹圮的城垛上，詩人感到了那樣的古老與蒼茫；而一陣風吹動著大草原上的草浪，牛羊的身形似隱若現，詩人又感到了無比的青春與熱情。

他們在邊塞刻苦的生活過，看著許多戰事慘烈的進行著，詩人明白了，漢族王朝與少數民族的爭戰，不管誰勝誰敗，永遠沒有真正的贏家。

永恆的是大漠，是天上璀璨的星，是嚴寒的冰雪。其他一切，都只是過客。

座右銘：莫愁前路無知己，天下誰人不識君？

一個人只要有真正的本事，不管到什麼地方、去做什麼事情，都會有出人頭地的一天。有點李白「天生我材必有用」的味道，我們可以以此鼓勵朋友，也為自己打氣。

創作模式啟動

模式一、〈塞上聽吹笛〉的實與虛

前兩句寫實景：白雪、牧馬、戍樓，那樣的天，那樣的月。然後羌笛聲起，開啟了後面的虛景：「借問梅花何處落，風吹一夜滿關山。」彷彿風吹來的不是笛聲，而是片片落梅的花瓣，四處飄散。

這和李白「誰家玉笛暗飛聲，散入春風滿洛城。」有異曲同工之妙，同樣是將聽覺視覺化，但藉由「梅花何處落」拆用的語意雙關——〈梅花落〉曲調，可讓讀詩的人去聯想、領會，比起全部寫實和直述要高妙得多。

所以，寫作時若能布建「虛」的想像，就能將「實」推得更深、更廣了。

★模式二、〈白雪歌送武判官〉的觸覺描寫

皮膚是人體最大的器官，又是我們感知這個世界的重要媒介，當然應該深刻的體會，盡量的描寫了。

塞外的酷寒氣候，讓詩人們擁有了不曾領會過的，嶄新的觸覺，於是，岑參的邊塞詩便有「散入珠簾溼羅幕，狐裘不暖錦衾薄。」的觸覺感受。寒凍逼人的冷空氣散進珠簾，帶著濃重的潮溼，又冷又溼，使人難耐。就算是穿上厚重又昂貴的皮裘，也不覺得溫暖；一層又一層鋪蓋，還是抵擋不了寒氣。

雖然我們不可能去到古戰場，卻充分體驗了使人坐臥兩難的嚴酷氣候。這樣的具體描寫，是很有感染力的。

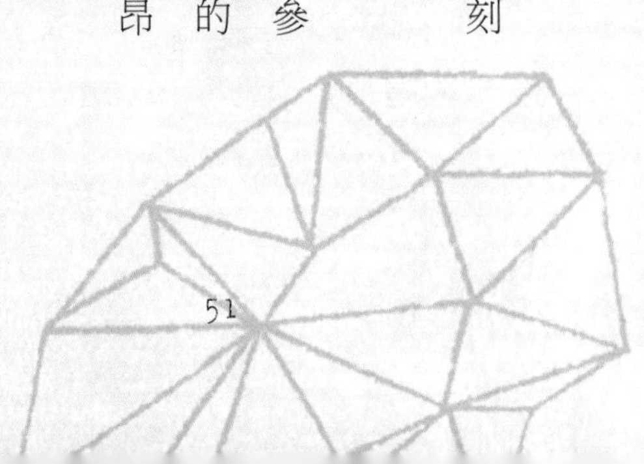

模式三、〈閨怨〉的婉轉曲折

簡單的說，這是敘述一個閨中少婦悔教夫婿覓封侯的故事，但寫文章重視的是細節，一定要寫一下緣由及過程，有轉折又更好。

此詩的起句即帶出不知憂愁的少婦，丈夫遠行，她還能細心化妝，上翠樓去賞春景。然後，詩人兜了圈子、轉了彎，在第三句才將思想情感一舉推高——少婦忽見陌頭楊柳色，這剎那間的、不經意的青春韶光，震撼了她，點醒了她，正是所謂的「觸景生情」。

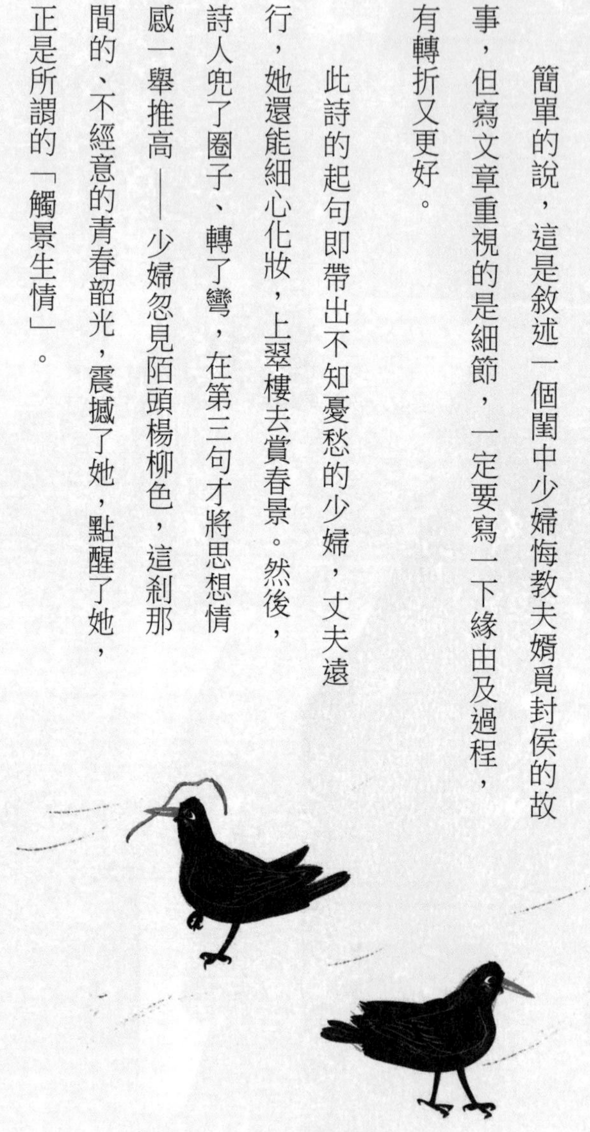

這個「觸」字，不僅是觸碰，還要有觸動，於是才會有結尾情感戰勝理智的後悔。如此的起承轉合、婉轉曲折，正是文章動人的關鍵技巧。

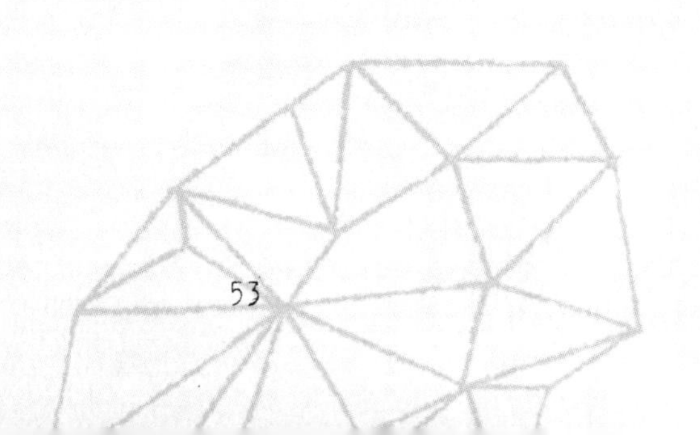

主題七

落花竟然如飛雪——時令詩

清明

寒食

秋夕

十五夜望月寄杜郎中

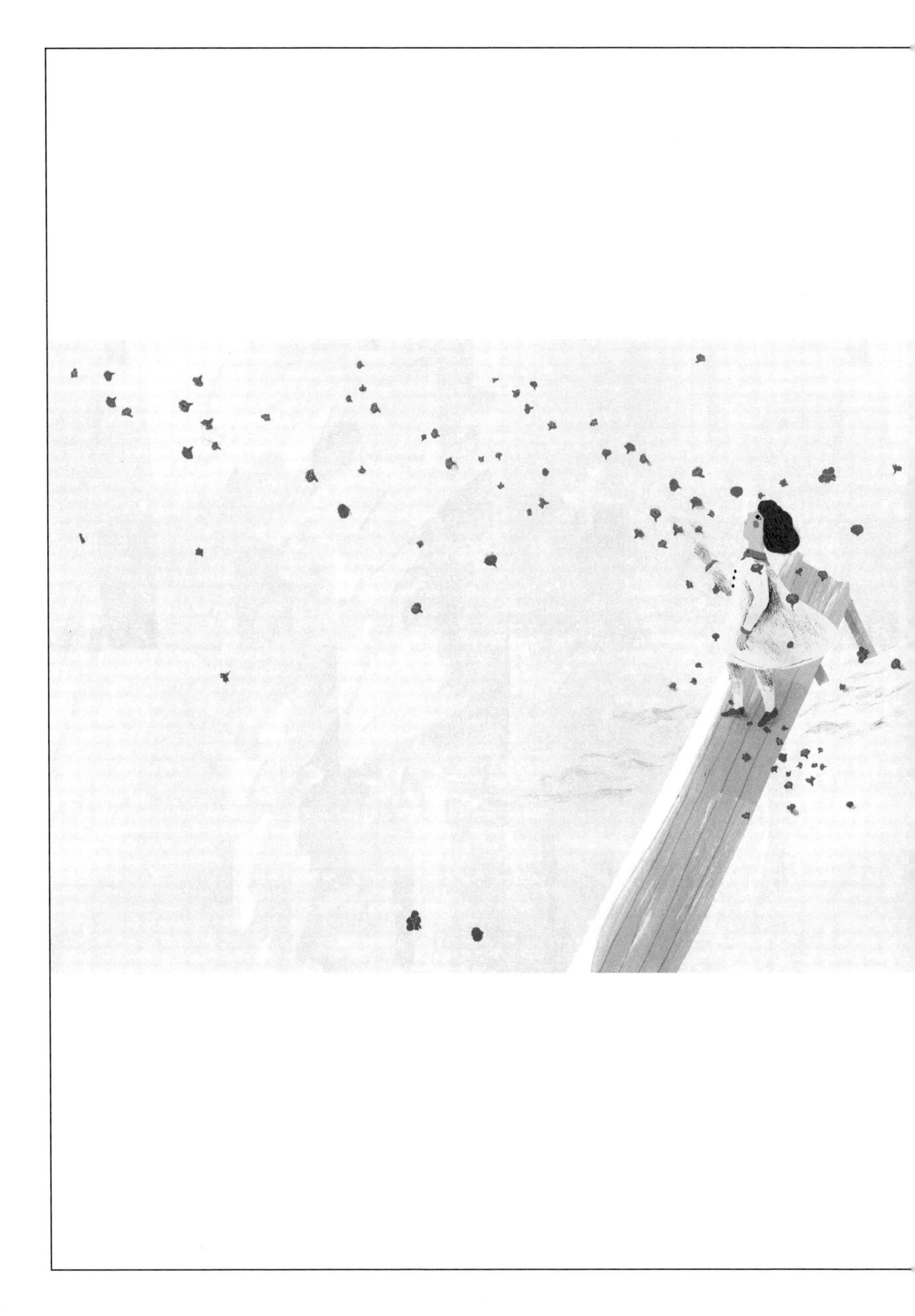

隨著絡繹不絕的遊人來到日本皇居之外、那個叫做「千鳥之鳶」的賞櫻名所，其實已經錯過了櫻花盛放期。護城河上的水流，每個漩渦都是粉色的，細細碎碎的花瓣，迴旋在水面上。正當我低頭凝望著，看得出了神，忽然，一陣風席捲而來，我聽見四處響起的驚歎聲，抬頭便見到櫻瓣被風吹落，一片片，輕盈的、明亮的、像溫暖的細雪，撲面而下。

這就是所謂的「櫻吹雪」了，又或是所謂的「櫻花雨」。我在此起彼落的喜悅讚歎聲中，想到了兩句詩「春城無處不飛花，寒食東風御柳斜。」詩人韓翃像我一樣佇立在橋上嗎？也在皇居之外？這首〈寒食〉詩距今已有一千兩百多年，怎麼竟能將我眼前所見的景象描寫得栩栩如生？使我忍不住懷疑：這些來來往往的遊人裡，是否就藏著韓翃？

清明的雨，寒食的蠟燭

古代農業社會，家家戶戶都有一本農民曆，將一年四季均分為二十四節氣，也標示出「春耕、夏耘、秋收、冬藏」的生活規律。像是清明之後，便是穀雨，接著是立夏，再來是小滿與芒種。而氣候和農作物的生長，也確實是這樣的有條不紊。這是老祖宗的智慧，也給了文人許多創作的靈感。

因為詩人的創作而最為人熟知的節氣，應該就是清明了，那同時也是一個節日。幼年時許多人都會背誦杜牧的〈清明〉，因為他用字簡潔，通俗易懂，連小孩子也能明白。卻正因為這樣，這首詩的好處也往往被人忽略了。

這首清明詩不僅是七言絕句，也是個小劇場，出現的角色有詩

二十四節氣

古代以太陽運行的位置所訂定的曆法，以黃河流域地區為主，因此，若以台灣氣候來看，未必如此精準，卻也差距不大。

二十四節氣的名稱如下：

立春、雨水、驚蟄、
春分、清明、穀雨、
立夏、小滿、芒種、
夏至、小暑、大暑、
立秋、處暑、白露、
秋分、寒露、霜降、
立冬、小雪、大雪、
冬至、小寒、大寒。

清明

唐・杜牧

清明時節雨紛紛，
路上行人欲斷魂。
借問酒家何處有？
牧童遙指杏花村。

一到清明時節，雨水總是下個不停，走在路上的人都有了深重的憂傷，難以消解。於是攔下一位牧童，向他打聽：哪裡能買到酒喝？牧童指引著遠處開滿杏花的村落，那美麗的地方便是酒家。

人、路上行人，以及騎在牛背上的牧童。

那是個下著雨的場景，這雨水帶來了冷清寂寥，卻還有著杏花與酒旗，在那似隱若現的遠方，讓詩人取暖，化解哀傷。

我們當然也能聽見對話，看見動作，向牧童詢問酒家的詩人，熱情的指引詩人的牧童，使我們揣測，當時的杜牧應該也是離鄉背井的吧。看著別人祭祖掃墓，自己卻飄零在外，這就更能明白他心中難以負荷的憂傷了。

古代與清明最靠近，而又極受重視的節令，應該就屬「寒食」了。這是在冬至後的一〇五日，清明前一、兩天，人們不生火做飯，只吃生冷的食物，因此稱為「寒食節」，又稱「禁煙節」。

這個節日的由來，有個令人悲傷的典故，那是發生在春秋時代的歷史故事。晉文公在建立霸業之前，曾是個被奸臣陷害、過著朝不保夕流亡生活的公子，名叫「重耳」。

介之推輔佐重耳，對他不離不棄，甚至在糧食斷絕、幾乎餓死的危難時刻，割下股肉給他吃，救了他的性命。介之推做出種種犧牲奉獻，為的不是求取榮華富貴，只是希望重耳能成為一個真心愛

寒食

唐・韓翃

春城無處不飛花，
寒食東風御柳斜。
日暮漢宮傳蠟燭，
輕煙散入五侯家。

春天裡的長安城，落花無不隨風飛舞，煞是美麗。寒食節吹著東風，皇宮的柳樹裊裊的低斜著枝條。這天明令不能生火、點燈，但皇宮卻是例外，傍晚時分就忙著傳送蠟燭；不只如此，還差人賜給了那些貴族和寵臣啊。

護百姓的國君。

後來重耳返國即位，成為晉文公，介之推則隱居棉山，侍奉老母。晉文公希望勸得介之推來朝中做官，用了許多方法，都不見效，最後竟然放火燒山。這位霸主顯然錯看了忠臣的心性，也低估了他的意志，介之推與母親一同被燒死在一株柳樹之下。

晉文公愧悔交加，卻也莫可奈何。為了提醒世人火之無情，也為了懺悔自己的莽撞，更為了紀念介之推的受難日，便將這一天訂為「寒食節」，嚴禁生火炊食。從君臣到百姓，一律遵守。

到了唐朝，杜甫寫了吃生菜捲餅習俗的詩句：「春日春盤細生菜」，而我們直到現在仍有潤餅這種清爽可口的食物，皆是寒食節

的緣故。

「大曆十才子」之一的韓翃，在寒食節那一天，或許剛吃過了潤餅與生菜，閒步來到皇居宮牆之外。他看到宮牆畔的所謂「御柳」，生長得那樣蓬勃榮發，一絲絲綠意垂在風中，滿城落花也飛舞在空中，完全是春的氣息與情調。

然而，寒食節家家戶戶都不能用火，但宮廷裡竟然點起火燭來了。天還沒黑，宮裡就忙著分送蠟燭，而這些燃起的輕煙，還飄散到皇親貴戚家裡去。

這首詩表面上讚美皇帝分享恩惠的仁德，也像是書寫寒食節即景，卻讓我們想到「只許州官放火，不許百姓點燈。」的尊卑差異。藉由漢室皇親寵臣的擅權，諷諭唐室當權者及貴族的自私、驕盛，完全不顧念老百姓的憂患與生活。

有趣的是，德宗皇帝相當喜愛這首詩，還因此詩欽點韓翃為中書舍人。究竟是皇帝沒看出其中的嘲諷之意，還是君王也被這「春城無處不飛花」迷了眼？

七夕的流螢，中秋的月

入夏之後，天下有情人最注重的應該就是七夕情人節了。然而，古人是不過情人節的，對他們來說，七夕是女孩兒們向織女「乞巧」的日子，準備著胭脂水粉與各色絲線，乞求自己容貌美麗，女紅精良。這一天，也是一家大小欣賞銀河星光與納涼的時節。

七夕的神話故事，大家都耳熟能詳。這一對被天帝無情拆散的愛侶，分隔於銀河兩端，只能遙遙相望，卻無法聚首。必須等到一年一度的七夕這一天，喜鵲鳥飛來為他們搭起鵲橋，他們才能執手相見。見面時盡訴相思，也忍不住激動落淚，於是，七夕的晚上，常常會落下些許雨水。七夕雨，是遠距戀人的相思淚呢。

晚唐詩人杜牧在〈秋夕〉（又名〈七夕〉）詩中，描繪的是一

秋夕

唐・杜牧

銀燭秋光冷畫屏，
輕羅小扇撲流螢。
天階夜色涼如水，
臥看牽牛織女星。

銀燭台上的蠟燭，照在美麗如圖畫的屏風上，明亮的屏風在秋夜裡閃著寒光。夏季的輕羅扇子用不著了，於是拿來撲著流動如星的螢火蟲玩。宮中的階梯那樣高不可及，夜晚的空氣涼得像水，索性臥倒下來，仰望著天上閃爍的牽牛織女星。

個年輕孤獨的宮女，在這個夜晚的心情與活動，也可以看作是「宮怨詩」的類型。

能被選入宮中的女孩，想來都是才貌雙全的，她們有機會平步青雲，受到君王寵愛，集富貴榮華於一

身；她們也可能終身見不到君王一面，只能黯黯的虛耗青春，成為白頭宮女。

杜牧寫出了宮女生活的環境，銀燭、畫屏、輕羅小扇，這都是富貴的宮廷物件。像金絲雀一樣被嬌養著的女孩，看著燭光照映的美麗屏風，看著長長的階梯，感覺到的是夜裡如水的寒涼。她只好為自己尋找樂趣，撲螢火蟲，臥倒草地上，仰望牽牛織女星。

她也許羨慕著雙星，心中有所愛，有思念的人，而她在這深深的宮闈中，何時才能得到幸福與愛憐？

八月十五中秋節，則是個月圓人團圓的日子。唐德宗時的另一位詩人王建，寫過許多樂府和宮詞，「三日入廚下，洗手做羹湯。未諳姑食性，先遣小姑嘗。」這首平易近人的小詩〈新嫁娘〉，便是他的名作。

王建也創作過一首中秋詩，寄送友人杜郎中。這是一首懷人之作，卻寫盡了中秋的時令氛圍與氣候。

這首詩使我想起，曾經在杭州西湖畔度過的那個中秋，皎潔的明月將大地照射得雪白，樹上棲息的烏鴉也能看得清晰明白。露重

十五夜望月寄杜郎中

唐・王建

中庭地白樹棲鴉，
冷露無聲溼桂花。
今夜月明人盡望，
不知秋思落誰家？

庭院被月光照射得一片瑩白，黑色的烏鴉棲在樹上，形成黑白的對照。露水冷冰冰的，在寂靜無聲的夜裡，浸潤著桂花。今晚這樣好的圓月，人們都抬頭仰望著，卻不知因中秋而起的思念，將降臨到誰家呢？

霜冷，一片寂靜之中，能嗅到桂花潮溼的香氣，彷彿是夜晚唯一的喧譁。伴隨著秋而來的相思與愁思，就在人們舉頭望月的瞬間，被密密的籠罩了。充分使用感官效果，在視覺、觸覺、聽覺和嗅覺中，完成了一次專屬的時令盛宴。

主題七　落花竟然如飛雪——時令詩

座右銘：春城無處不飛花。

這座美好的春天的城裡，處處都可見到隨風飄散的落花。這樣的美景，走到哪裡都能看見，彷彿告訴我們，許多事情與感情，是不需過於執著的。

主題七　落花竟然如飛雪——時令詩

創作模式啟動

模式一、〈寒食〉的象徵手法

所謂的象徵，就是用具體的意象來表達抽象的概念，比方用「鴛鴦」來象徵愛情；用「紅豆」象徵相思；「鴿子」象徵和平；「背影」象徵父母親情等等。

韓翃詩中要表達的不僅是寒食節氣或景況，他要講的是在極權統治的環境下，貴族與百姓的生活有著天壤之別，這就是所謂的有特權、沒人權。

他只是在當時的封閉社會中，用了一個巧妙的象徵手法，將不公義的社會現實藝術化了。而我們適當的使用象徵，能開拓想像，獲取更多的共鳴。

★模式二、〈秋夕〉的小小動作戲

詩中描寫的常常是心中的感受，也就是所謂的內心戲。然而，太多的內心戲，會讓場面顯得過於安靜，這就是動作戲應該上場的時機了。

杜牧的〈秋夕〉這首詩，給人的感覺是青春而活潑的，主要原因就是小小的動作戲。像是「撲流螢」的這個「撲」字，以及「臥看」的這個「臥」字，這一撲，撲出了輕盈感；這一臥，臥成了孩子氣，也讓這首寂寂秋夜的小詩，添加了親切可喜的氣息。

寫作的時候，若能使用一些動作，有主動呈現的效果，更能吸引讀者的注意。

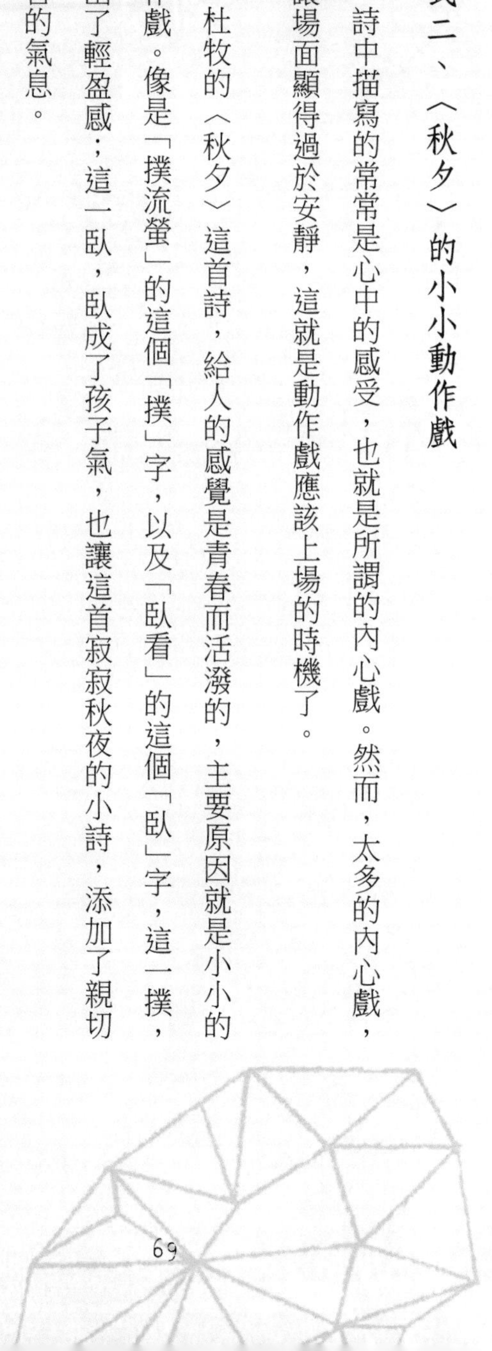

主題八

四季交響在詩裡——季節詩

絕句　宿駱氏亭寄懷崔雍崔衮

初春小雨　夜雪

山亭夏日　寒夜

夏夜追涼

山行

你聽過交響樂的演奏嗎？那真是一場華麗壯觀的聽覺與心靈的饗宴。通常，在較具規模的交響樂團編制裡，有弦樂器、木管樂器、銅管樂器以及打擊樂器等等。這四種樂器，恰好讓人聯想到春、夏、秋、冬，四季的風情。有關四季的詩相當多，就像一首首八方而來，聚攏於心的交響樂。

四季的風，來自四個方向。春天吹的是和暖東風，夏天吹的是溫薰南風，秋天是爽颯西風，冬天則是凜冽北風。就像《三字經》說的：「曰春夏，曰秋冬。此四時，運不窮。」、「曰南北，曰西東。此四方，應乎中。」季節與風向和地理，都是緊密連繫起來的。

曲線提琴與鳥鳴

春天的第一滴雨水，落進冰封的堅硬大地，喚醒熟睡的種子。就像是我們聆聽一把小提琴的拔高顫音，接著是中提琴、大提琴、低音大提琴的溫柔合奏，間奏則是喜悅的鳥鳴聲。冰融日暖，萬物生機勃勃，空氣中充滿生長的聲音和甦醒的姿態，難怪詩人多愛歌詠，都想捕捉明媚的春光。

除了大家熟知的孟浩然「春眠不覺曉，處處聞啼鳥。」，像杜甫的「遲日江山麗，春風花草香。」、白居易的「幾處早鶯爭暖樹，誰家新燕啄春泥。」、李白的「東風已綠瀛洲草，紫殿紅樓覺春好。」、蘇軾的「春宵一刻值千金，花有清香月有陰。」、李清照的「聞說雙溪春尚好，也擬泛輕舟。」等等，皆是春日名篇，讀了

絕句

宋·僧志南

古木陰中繫短篷，
杖藜扶我過橋東。
沾衣欲溼杏花雨，
吹面不寒楊柳風。

靠岸後，我把小篷船繫在參天的古木濃蔭下，然後拄起藜杖，慢慢走過橋，向東邊而去。綿綿春雨一路相隨，像故意要沾溼我的衣裳似的，還帶著杏花的芬芳；柔和的春風穿過楊柳，吹在我臉上，雖有些許涼意，卻不像冬風那般寒冷。

動人，心中彷彿也開出了朵朵春季小花。

而南宋僧志南的〈絕句〉，更把春日出遊帶到了既簡單又高雅的意境。

僧志南是一位詩僧，生平已不可考，只知他善於寫山居詩，也編過一卷《寒山詩集》。詩中說，他在渡船靠了岸後，便由藜杖撐著他，過到橋東去散步，這時藜杖成了他的好朋友，體貼的「扶」著他，充滿情意。而春雨細細綿綿，衣衫將溼而未溼，卻夾雜著杏花的芬芳；春風穿過楊柳拂面而來，有涼涼的感覺，但又不像冬風那般刺寒。

「杏花雨」、「楊柳風」，都是很感官的描寫，雨中有杏花，風裡見楊柳。僧志南雖是個出家人，遠離紅塵俗事，他的心卻不枯索，充滿了豐富的感受力。

南宋理學家朱熹，是理學的集大成者，認為「理」是物質世界的基礎與根源。連他都十分稱讚志南和尚的詩，也愛這首〈絕句〉，尤其是最後兩句：「沾衣欲溼杏花雨，吹面不寒楊柳風。」真是輕柔優美，鮮活生動，而且對仗完美，已成春詩的千古名句。

初春小雨

唐・韓愈

天街小雨潤如酥，
草色遙看近卻無。
最是一年春好處，
絕勝煙柳滿皇都。

行走在京城的街道上，小雨落下來，潤滑細膩如同酥酪。遠遠看著那一片綠油油的顏色，彷彿是初生的小草，走近一看卻還沒生成。這才是一年之中春光最美的時刻，遠遠勝過大家稱頌的暮春時節，柳條茂密飄在風中，像煙霧那樣的繁盛。

中唐的古文運動大家韓愈，是個思想家。他的想法與審美觀與眾不同，眾人都歌詠春日的花與柳，他卻獨獨鍾情於小草，於是寫下了這首〈初春小雨〉（又名〈早春呈水部張十八員外〉）。

韓愈也是著名的落榜生，三次落第卻屢敗屢戰，最終考上科舉。因為他個性耿直，官場生涯並不順利，常常被貶謫。這一年，他已經五十六歲了，回到京城擔任吏部侍郎之職，是他一生中做過最大的官，心情上是比較閒適雍容的，文字也就不那樣雕琢險僻了。

他用「潤如酥」來描寫早春的雨水落在肌膚上的感覺，被這樣的雨水潤澤的大地，煥發出幼嫩的綠色油光，彷彿是初生的細草；卻僅只是「彷彿」。這是詩人對於一個美麗新世界的想望。

後兩句則又表現出韓愈的評論性格，他在詩中說理可比抒情拿手得多。於是他評定了長安城的春色等級，眾人喜愛的柳樹最茂盛的暮春，是遠遠比不上這萬物初生而未生的早春啊。「絕勝」兩個字，既是韓愈的主觀，更是他的霸氣。

溫暖氣流在振動

木管樂器是將氣流吹進管中的空氣柱，使它發出振動，於是有了聲音。那種悠揚的音調，有著振奮人心的效果，就像是夏天帶來的感受。而晚唐高駢的〈山亭夏日〉，更可以說是古人歌詠夏季的代表作品了。高駢能文能武，據聞他可一箭射下雙鵰，號為「落鵰御史」。這樣有力的一雙手臂，描繪夏日景色卻是輕輕巧巧、無比溫存。

這首詩用各種感官描寫炎熱的夏季，不只是眼睛所見，還有觸覺、嗅覺等，但最精采的是想像力的無限發揮。

樓台的倒影映照在池塘上，那樣清晰明亮，好像池裡的另一個世界。風一吹來，池水一晃蕩，宛如水晶簾一樣。這時才意識到：

山亭夏日

唐・高駢

綠樹陰濃夏日長，
樓台倒影入池塘。
水晶簾動微風起，
滿架薔薇一院香。

夏天的白日很長，綠樹枝葉茂盛，使得樹蔭十分濃密；也因陽光的照射，讓樓台倒映在池塘水面上。陽光下的池塘晶瑩剔透，彷彿一面水晶簾子；而簾子輕輕搖動，令人發覺原來是風來了。同時，也將院子裡滿滿盛放的薔薇花香，都送到了鼻端來。

風來了。同時，滿架的薔薇花香也被帶到鼻端，這就是夏天的味道啊。

薔薇是夏天盛放的花，水晶簾動有水的韻律感，水晶更給人冰涼的觸感，在暑氣薰人、煩悶氣躁時，因為這首詩，我們感覺到徐徐的清風吹拂、淡淡的花香傳送，而人，就隨著樓台倒影蕩漾在水中。夏日的清涼，莫過於此啊！

高駢的夏日素描，美好清涼而芬芳，應當是最理想的夏日了。但夏日的酷暑難當，卻又是另一種難以遁逃的煎熬。尤其古代沒有冷氣，連電風扇也沒有，人們能冀望的就是一陣雨和一陣風，偏偏有時怎麼等都等不到。

夏夜追涼　南宋・楊萬里

夜熱依然午熱同，
開門小立月明中。
竹深樹密蟲鳴處，
時有微涼不是風。

好不容易等到夜晚，卻發現和日正當中的炎熱相同。只好開了門，走出戶外，佇立在明亮的月光下。不遠處的竹林中栽種著茂密的樹木，傳來一陣陣蟲鳴，有時安靜的聆聽著，雖然沒有風，竟也感受到一陣微微的涼意。

南宋的著名詩人楊萬里在等不到風的夏夜，寫下了〈夏夜追涼〉這首詩，到底在暑熱逼人的夜晚，能不能追到那一股清涼？

大陸性氣候沒有海風的調和，天地之間像個大蒸籠。蒸了整個白天，終於等到了夜幕低垂，卻一點也沒有降溫的跡象。房子裡實在待不下去，只得走到戶外，聽著樹林裡的蟲鳴聲一陣一陣。

或許是因為靜下心來，竟跳脫了現實的悶熱，無風而心自涼，真切的感受到了空氣中微小的氣流旋轉。這是心境改變了環境的夜晚，也成了一個理想的夏日了。

銅管樂器的色澤

古代戰爭常常發生在秋天；處決死囚也是在秋天；秋風一起，葉落草枯；因此，人們總覺得秋天充滿蕭索肅殺之氣。秋天屬「金」，是金屬，也是兵器，有殺伐之氣，在四季的交響樂編制中，與銅管樂器倒是很相襯，像是落葉、黃花、枯荷，都很有銅的色澤與質感呢。

一般來說，秋天的意象是寂寞、感傷的，因為即將進入冰冷、死寂的冬天，所以詩人大多喜愛寫詩來「悲秋」遣懷一番。

如李益的「唯將滿鬢雪，明日對秋風。」、王昌齡的「金井梧桐秋葉黃，珠簾不捲夜來霜。」都帶著苦澀、寂寥與無可奈何。甚至宋朝女詞人李清照都說：「莫道不銷魂，簾捲西風，人比黃花瘦。」銷魂是指心中十分憂傷，一陣西風吹過，女詞人纖細的身影，因為相思的緣故，竟然比黃色的菊花還要消瘦呢。

然而，唐朝詩人劉禹錫的〈秋詞〉卻獨排眾議，寫出了「自古逢秋悲寂寥，我言秋日勝春朝。」這樣慷慨壯逸的句子。他認為秋天其實比春天更加美好，因為天空澄淨，顯得寬闊許多，空氣也較清爽，即所謂的「秋高氣爽」，身在其中，的確愜意。

至於杜牧的〈山行〉，則在一片蕭瑟秋風中，匠心獨具的讚美秋景，甚至點醒我們：只要用心，生活裡一定可以找到令人感動的事物。

杜牧特別擅長七律和絕句，舉凡寫景抒情、詠史懷古，意味都極高華、深遠。關於秋天，他的〈秋夕〉大家耳熟能詳，也帶有孤寂幽怨的氣氛。但描繪詩人坐車行經山麓所見的秋色：〈山行〉，便是很不一樣的情調了。

石頭小路曲折蜿蜒的伸向山頂，辛苦的上了山，發現山上還有遠離塵囂、彷彿不食人間煙火的人家，想必他們也因為喜愛這景象，才會避居於此吧。

山行　唐・杜牧

遠上寒山石徑斜，
白雲生處有人家。
停車坐愛楓林晚，
霜葉紅於二月花。

沿著彎彎曲曲的陡峭石路上山去，在幽深山間、白雲繚繞的地方，有幾處房舍，他們也愛這樣的美景吧！我停下車來，因為喜愛傍晚時分的楓林景色，看那些經霜的楓葉啊，可比二月的鮮花更加紅豔美麗！

宿駱氏亭寄懷崔雍崔袞

唐．李商隱

竹塢無塵水檻清，
相思迢遞隔重城。
秋陰不散霜飛晚，
留得枯荷聽雨聲。

住宿在整潔的竹屋裡，水畔的欄杆到了秋天也顯得特別乾淨清爽。而對於好友的思念，隔著一重又一重的城市，難以傳遞，卻也無法消失。秋天的陰涼並未散去，到了黃昏又添了飛霜。水面上的乾枯荷葉沒有清除，為的是等待落雨時聆聽雨打枯荷的聲音。

經過霜凍而更顯紅豔、比初春二月的花朵更美的楓葉，有著動人心魄的美麗。「坐愛楓林晚」的「坐」字，是「因為」的意思，為了賞楓，他停下車來，流連忘返。

此詩文字精簡，卻將楓葉的形象表露無遺。楓葉不僅在顏色上紅豔更勝春花，而且不怕霜凍，連性格都比春花更堅強，這是令他感動的事，也就產生了強烈的藝術效果。

至於與杜牧合稱「小李杜」的李商隱，也有一首將秋意與相思結合的詩，充滿生活美感和趣味。

崔雍、崔袞兩兄弟是李商隱的親戚，也是好友，他們分隔兩地，無法相見，只能彼此思念。李商隱當時居住在水閣上，水上的秋風特別陰涼，晚來霜降，更增添了不少寒意。而眼前所見，是水面上猶未拔除的殘荷枯葉，那樣殘敗飄零的景象，人們都不太喜歡，李商隱卻格外憐惜，想要留在水上，諦聽那雨水敲打著枯荷的叮咚聲。

這當然是一種特殊的審美趣味，也象徵著已經遠去的朋友，雖然不知是否還能相見，形影卻永遠縈繞在彼此心頭，不離不棄。

飛雪敲打著屋脊

如果見過冬季裡的飛雪，落在江上，落在屋脊，落在森林裡，就像是無聲的打擊樂那樣，因此，冬天讓人聯想到打擊樂器。

大陸地區的冬天，可謂寒風凜冽，萬籟俱寂，大雪紛飛，冷入心扉。冬日詩有不少名篇，除了唐代祖詠的「終南陰嶺秀，積雪浮雲端。」寫終南山雪景；柳宗元〈江雪〉：「千山鳥飛絕，萬徑人蹤滅；孤舟簑笠翁，獨釣寒江雪。」描繪天地冷寂，並展現不怕嚴寒與孤獨的昂揚鬥志。

白居易的〈問劉十九〉：「綠螘新醅酒，紅泥小火爐。晚來天欲雪，能飲一杯無？」則開頭便是著名對句。紅泥製的小火爐上，熱著新釀好、表面還浮著淡綠色泡沫、尚未過濾的酒。而將要下雪

了，正是飲酒取暖的好時機，便邀來訪的好友一塊兒喝杯熱酒，充分流露主人的溫馨之情，平易自然，讓人回味無窮。在冬季詩中，讀到溫度，讀到色彩，令人感覺溫暖舒服。

白居易也有不那麼溫暖的詩，冬夜的酷寒紀實詩〈夜雪〉，運用感官寫出了砭入肌骨的寒凍。我們都有冬夜裡進入被窩後猛打寒顫的經驗，詩人已經意識到被窩裡的冰冷觸覺，想不到實際溫度仍超出他的

夜雪

唐・白居易

已訝衾枕寒，復見窗戶明。
夜深知雪重，時聞折竹聲。

一鑽進被窩便感到詫異，枕頭和被子的溫度比想像中更寒冷，再看看窗戶明亮得像白天似的，可見積雪已經很厚了。夜深時仍未睡著，知道此刻下著大雪，因為雪的重量壓斷了竹子，時時聽見竹枝折斷的聲音。

四君子　指梅、蘭、竹、菊。梅象徵品格高尚，氣節堅貞；蘭則德行崇高，清香遠傳；竹正直有節，意指不為名利折腰；菊清麗高雅，有傲骨，是隱士的代表。

歲寒三友　指松、竹、梅。皆在歲末至寒時生長、開花，象徵強韌的生命力與高潔品行。

想像，一個「訝」字便有著驚奇的效果。這是個不尋常的夜晚啊！

接著又用視覺進一步探索冷的訊息，窗外這麼明亮，必然是積雪很厚的緣故。再用聽覺來補充，被雪壓斷的竹子，不斷發出聲音，在幽靜的夜裡，格外清楚的傳來。落雪是安靜的，原來也很喧譁。

北宋詩人杜耒的〈寒夜〉，則是在注定寒冷的夜晚，以人情味製造出溫度，表現了待客之道，並將冬天開放的梅花也歌詠進詩中。

杜耒存世之詩不多，但在北宋相當聞名。他的詩樸素而有韻味，代表作便是〈寒夜〉。利用簡單景物鋪排出生活的味道，茶、爐、火、窗、月，真是十分尋常的夜晚，但有了幽幽開放的梅花點綴，一切就不一樣了。

寒夜造訪，可以茶當酒而不嫌棄的，定非泛泛之交；而好友光臨，則使得滿室生輝。梅花是「四君子」和「歲寒三友」之一，愈冷愈開花，象徵品格高尚。詩人將摯友比喻為梅花，十分尊崇；而自己能與梅花為友，也顯得格調非凡。

你是不是也見到了爐中的火苗燒紅起來，水沸騰了，這煮著茶的屋子暖烘烘的，與屋外寒冬形成對比？平凡的生活、皎潔的月光，

寒夜

宋・杜耒

寒夜客來茶當酒，
竹爐湯沸火初紅。
尋常一樣窗前月，
纔有梅花便不同。

冬日的夜晚，客人來訪，我以茶當酒相待。燒炭的火爐子裡，開水翻滾，準備煮茶。月光照射在窗前，與平時沒什麼兩樣，只是幾枝梅花在月光下開放，暗香襲人，使得今日的月色，比起往常，分外的不相同。

都因好友的造訪，顯得格外不同。而有堅忍氣節的梅花，串起了一段溫暖真摯的情誼，令人嚮往。

座右銘：寒夜客來茶當酒。

這是對於朋友最熱情、最素樸的款待心意了。雖然沒有好酒，卻有著無比的熱情與真誠，連茶水喝起來都有酒的濃醇了。

主題八　四季交響在詩裡——季節詩

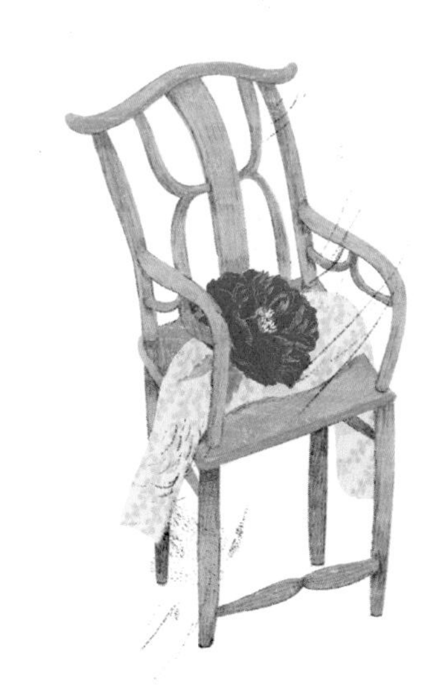

創作模式啟動

模式一、〈絕句〉對對樂

對古人來說，對仗有很大的樂趣。中文一字一音，適合對仗，韻文中的對仗也就成為自然的趨勢，古人作詩簡直到達「無對不歡」的地步。

像我們沿用至今的春聯，就有著很工整的對仗，已成為日常生活的一部分。僧志南在〈絕句〉詩中用了「杏花雨」和「楊柳風」形容春天的自然景象，也做出對仗的效果。

古人還有層出不窮的形容詞，像是：「芭蕉雨」、「酒旗風」、「催詩雨」、「稻花風」等等，意象都很優美詩意，就算是運用在現代創作中，也能有種對稱的藝術性。

★模式二、〈夜雪〉聆聽世界

聽覺是人類感官中相當重要的一種，要將聽覺轉化成為文字卻不容易。

白居易在這首詩中，運用了聽覺傳遞出最重要的訊息。不只是寒冷，還有「雪重」；因為他在黑夜裡聽見了竹枝被雪壓斷的聲音，於是判斷出，這雪下得又急又多！

下雪原本是無聲的，似乎比雨還要輕盈，但白居易有一雙靈敏的耳朵，清楚的聆聽世界。我們也該向詩人借來耳朵，仔細的聽一聽。

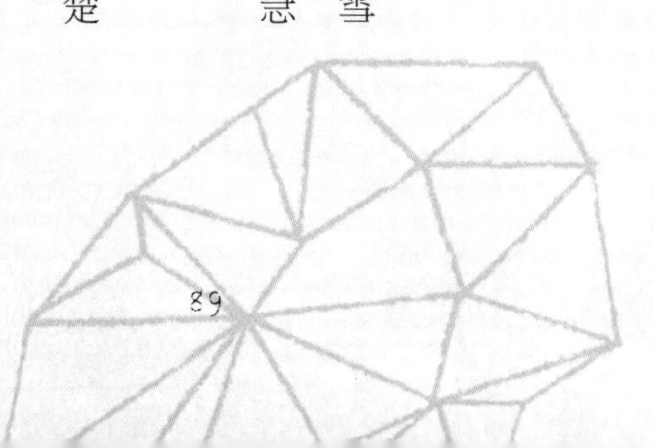

主題九

聽聽歷史的心跳——詠史詩

漢宮
金陵圖
於易水送人
八陣圖
黃鶴樓
蜀先主廟
登金陵鳳凰台
赤壁
題烏江亭
江南春
夏日絕句

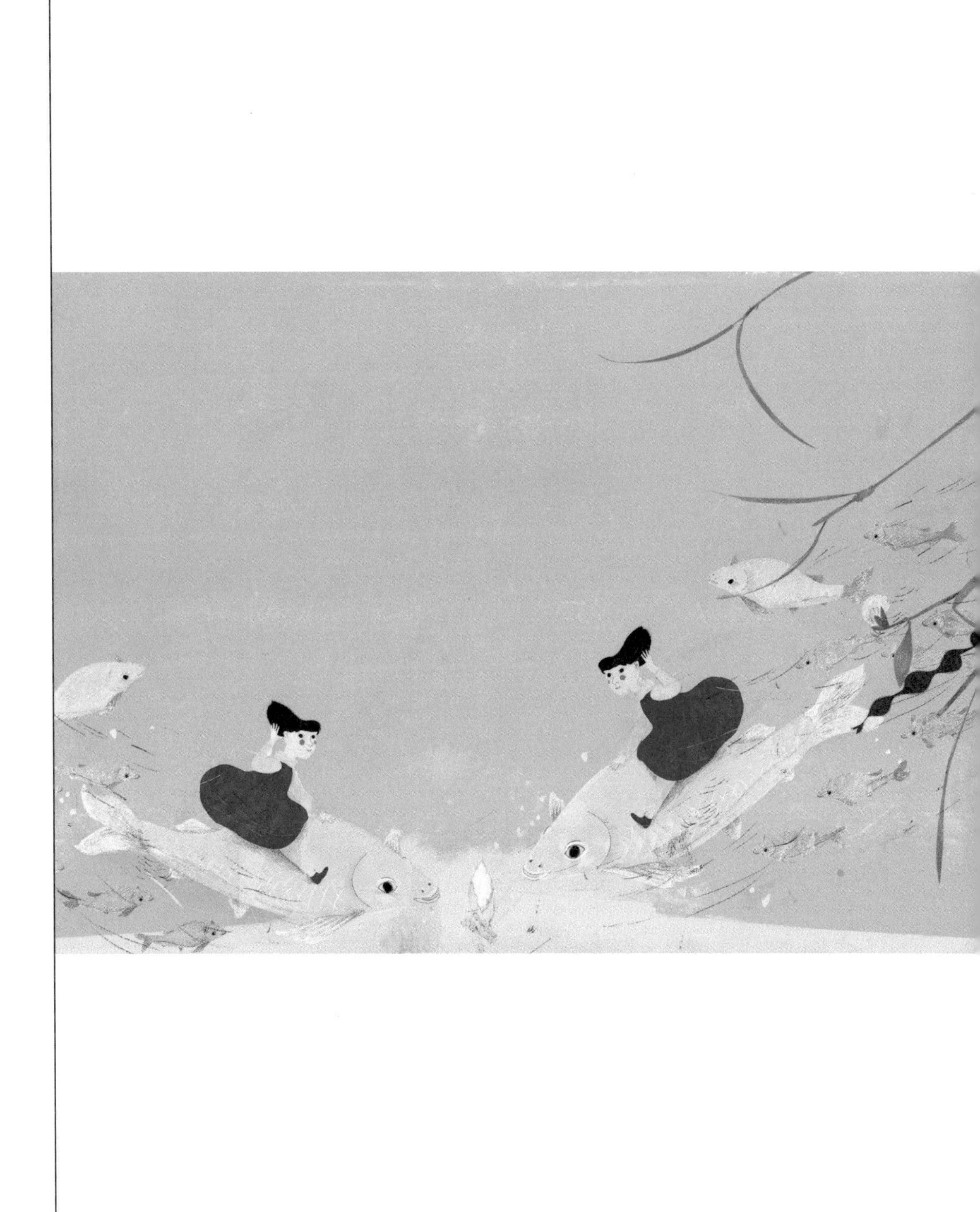

歷史，照見自己的影子

「青史上你留下一片潔白，朝朝暮暮你行吟在楚澤，江魚吞食了二千多年，吞不下你的一根傲骨。」這是現代詩人余光中作品〈淡水河邊弔屈原〉裡的名句，緊緊抓住屈原的性格和際遇，以及高潔超凡的歷史地位。我們吟詠起來，彷彿能聽見時光長河裡，那忠誠靈魂熱情的心跳聲。

古代人沒有電腦可以Google，也還沒有「自拍」的技術，而人生在世短短數十年，該怎麼了解幾百年、甚至幾千年前的人文與故事呢？在韻文裡，我們常會讀到許多詠史與詠人的篇章，從中了解詩人對歷史上某一段時期、事件或人物，有著什麼樣的看法。他們暢懷歌詠，或是借古諷今——看起來像寫過去的事，卻或多或少諷

漢宮　唐・胡曾

明妃遠嫁泣西風，
玉箸雙垂出漢宮。
何事將軍封萬戶，
却令紅粉為和戎。

王昭君在秋風起時，遠離故鄉，將嫁給單于為妻，她從漢宮離開，悲傷的流下許多眼淚，看起來像是白玉筷子掛在臉上。國家明明有奉祿豐厚、應該上戰場保護國家的大將軍，為什麼卻讓一個美麗的弱女子到蠻荒之地去和親呢？

刺了現在的人，有時被諷刺的對象是皇帝。

歷來詠史的聲音不絕於耳，東漢班固是一位史學家，他的〈詠史詩〉是第一個以「詠史」作為詩題的。到了西晉左思的〈詠史詩〉八首，奠定了「詠史」在中國詩歌史上的地位，也發展成為詩歌的重要題材。之後，詠史的曲調多人吟唱，像是陶淵明的〈詠荊軻〉、杜甫的〈詠懷古跡〉等等，到了北宋司馬光的〈屈平詩〉，則將屈原比喻為白玉和幽蘭。唐朝的胡曾，甚至寫了一百五十首〈詠史詩〉，聞名天下，可以稱之為詠史達人了。

在詠史詩中呈現的特色便是「個人觀點」，歷史事件是客觀的，而詩人藉著詠史表達自己的人生觀，或是對歷史的評價，則相當主觀。這些主觀的看法，能帶給讀者不同的思考和感受，才是詠史詩真正的價值。就以胡曾的這首〈漢宮〉為例，他眼見晚唐的江山搖搖欲墜，心中必然有沉重的哀愁，卻又無能為力，於是便將王昭君遠嫁和番的事件，寫成七絕一首。

胡曾自小才華洋溢，頗受讚譽，然而他幾次考科舉都沒能中第——這當然與當時考試不公有很大的關係——讓胡曾感到相當沮

喪。於是，他從漢代和番美人王昭君的身上看見了自己的影子：同樣是資質不凡，不屑向惡勢力低頭，卻只能抑鬱不得志。

王昭君在緊要關頭決定犧牲自己，遠離家鄉與親人，嫁給語言文化迥然不同的「外國人」，為的是報效國家。然而，胡曾的疑問卻是：有那麼多坐享高官厚祿的大將軍，他們如果善盡保家衛國的職責，又怎麼會需要一個纖弱的女子去和番呢？這樣的質問當然是別有用心的；始終徘徊在科舉門外的胡曾，想為國奉獻卻苦無機會，高居上位的大臣尸位素餐，令他深感不平。

歷史，就像一面鏡子，照見自己。個人際遇加上對歷史的獨特觀點，便是詠史詩的藝術成就。

三國，多少英雄淚滿襟

唐代詩人對於三國的題材情有獨鍾，出色的佳作也不少。詩聖杜甫就寫過〈蜀相〉：「丞相祠堂何處尋，錦官城外柏森森。映階碧草自春色，隔葉黃鸝空好音。三顧頻煩天下計，兩朝開濟老臣心。出師未捷身先死，長使英雄淚滿襟。」

很多詩人去到三國遺跡景點，最同情的大概就是雄才大略、輔佐兩朝的孔明了。對他的慎謀能斷與一腔赤誠感到崇慕，也對他的壯志未酬、功敗垂成感到惋惜。

杜甫還有一首短小精悍的五言絕句〈八陣圖〉。傳說中，「八陣圖」是孔明研發的戰陣，水裡有一個水八陣，陸地上有一個旱八陣。孔明很得意的說：「八陣既成，自今行師，庶不覆敗矣。」八

八陣圖 唐・杜甫

功蓋三分國，名成八陣圖。
江流石不轉，遺恨失吞吳。

劉備的蜀國能與魏、吳三分天下，諸葛亮的功績最高。而有雄才偉略的諸葛亮創造了八陣圖，使他的聲名更加遠揚。六百年來大水奔流，那八陣圖的石壘卻依然如舊，沒有移動。唉，一切都怪劉備

莽撞攻吳，破壞了策略，之後含恨而死，以致統一大業夭折，成了千古遺恨啊！

蜀先主廟 唐・劉禹錫

天地英雄氣，千秋尚凜然。
勢分三足鼎，業復五銖錢。
得相能開國，生兒不象賢。
淒涼蜀故妓，來舞魏宮前。

劉備的英雄豪氣，經過千秋萬代仍嚴正威凜。

陣圖完成之後，行軍作戰就能百戰百勝了。

來到江邊的杜甫，還能見到八陣圖的遺跡。長江流了這麼久，那些石頭擺出來的陣式卻都沒有移動，「江流石不轉」是對布陣的讚歎，也用以比喻孔明的忠貞不二。

於是杜甫不免要感歎：這麼厲害的八陣圖爲什麼會失敗呢？敗就敗在當初劉備太急著要替關羽報仇，還沒準備好就去攻打吳國，中計失敗，含恨而亡。

再來看看唐代被白居易推崇為「詩豪」的劉禹錫〈蜀先主廟〉。這是詩人任夔州刺史時，經過當地劉備廟有感而發，寫下的詠懷詩。

詩的開頭就稱頌劉備從無到有建立蜀國，並以小國之姿，與魏、吳三國鼎立，叱吒風雲；還藉錢幣「五銖錢」，暗喻復興漢室的壯志，強調他的歷史功業。

然而接著四句，感歎他雖得到孔明輔佐，兒子劉禪卻昏庸無能，使國家敗亡，投降魏國後，赴宴受辱了還不知道，仍然開開心心的談笑風生。

除了歌詠劉備，其實此時的唐朝國勢已衰，劉禹錫用心良苦的

他於亂世中與魏、吳三分天下，鼎足而立，並立誓復興漢室。然而好不容易得到賢相孔明輔佐，兒子阿斗卻不能效法賢人，以致亡國降魏。不僅如此，劉禪在魏國宴席上，看著被俘虜的蜀國宮廷歌妓跳舞，竟然還歡喜自若，全然不覺自己已淪為亡國奴了。

以古諷今，旨在提醒當朝記取西蜀亡國的教訓。可惜一番苦心全是枉費，皇帝是聽不見也聽不懂的。

被稱為「小杜」的杜牧，創作的詠史詩也很精采。

有一次，杜牧到赤壁古戰場遊覽，看見了一截斷掉的兵器：戟，原本埋在赤壁的沙石裡，剛被挖掘出來。杜牧看了之後很有感觸，就寫下有名的〈赤壁〉詩。

赤壁

唐・杜牧

折戟沉沙鐵未銷，
自將磨洗認前朝。
東風不與周郎便，
銅雀春深鎖二喬。

埋在沙裡的斷戟，鑄鐵還未完全銷蝕。我取來在水邊洗刷後，辨認出是三國時期遺留下來的兵器。不禁想到：假使那場赤壁之戰沒有吹起東風、幫助了周瑜，那麼蜀吳聯軍恐怕會敗北，大、小喬也都會被曹操擄去，關在他銅雀台的深宮裡了。

這首詩的特別之處，是在充滿陽剛之氣的戰爭中，詩人不提三國的領袖、大將軍，卻專挑「二喬」來講，將詩的調性變得柔軟了。仔細想想，這首詩還有一層微妙的意思：周瑜的勝利與那陣「東風」絕對相關，歷史上的勝負興亡，有時候竟是命運的左右，正是所謂的「謀事在人，成事在天。」

金陵，六朝捧在手上的心

六朝是中國歷史上動盪不安的亂世，但因多建都於溫暖富庶的江南，鳥語花香，鶯飛草長，常給人迷離似夢的感覺。古稱「金陵」的南京，成為兵家必爭之地，也是醉臥英雄的溫柔鄉，更可說是六朝之心。

杜牧有一首名詩〈江南春〉，把江南的味道都寫出來了。只見鳥啼千里，四處紅花綠葉，燦爛無邊；有村落處便見酒旗招展，一陣風吹來，就聞到酒香，這是詩人最愛的江南風景了。

讓江南變得如此繁榮富庶的，不能不提到南朝，南朝很多皇帝與貴族，都篤信佛教，紛紛大量興建佛寺，地位最崇高的應該就是梁武帝蕭衍了。

六朝

北宋時司馬光撰寫《資治通鑑》，將曹魏、晉朝、南朝的宋、齊、梁、陳，有系統的以編年紀事，後人便將這六個朝代稱為「六朝」。

江南春

唐・杜牧

千里鶯啼綠映紅，
水村山郭酒旗風。
南朝四百八十寺，
多少樓台煙雨中。

江南鶯鳥啼叫，千里沿路都聽得到；花朵紅綠繽紛，一派春意盎然的景象。村莊被水環繞著，城郭緊臨著青山，酒旗在風中招展。眼前南朝所留下來的四百八十座佛寺，也都籠罩在迷濛煙雨之中了。

他原是個文武雙全的奇才，建立梁朝，勤政愛民，讓江南百姓過著豐衣足食的生活。然而，中年以後卻溺信佛教，曾經四度出家為僧，朝政紊亂，導致眾叛親離，八十六歲時被活活餓死。

他在位期間長達四十八年，約莫興建了奢華宏麗的佛寺五百多座，使中國佛教達到極盛。到了晚唐，巡行江南的杜牧，還能看見遺留下來的四百八十座金碧輝煌的古剎，在迷濛煙雨中，有如六朝的虛幻身影。

全詩藉景色緬懷歷史，感歎建造這些佛寺的君王們，如今都到哪裡去了呢？多少樓台、多少故事，只能透過春光中的草木城郭，懷想曾經安樂繁華的金陵城。

韋莊是晚唐知名的詩人、詞人，唐滅亡後，進入五代時期，他曾擔任過王建的前蜀宰相，制定開國的一切制度。

韋莊早年上長安參加科舉考試時，正好遇到「黃巢之亂」，他眼見兵亂民苦，寫下了長達一六六六字的長詩〈秦婦吟〉，是唐朝最長的一首詩。當初寫詩的韋莊只是個年輕秀才，還沒什麼知名度，卻因這首詩而聞名，被稱為「秦婦吟秀才」。

初生之犢不畏虎的韋莊，紀實的寫下了官兵的暴虐以及貴族被屠殺的慘狀。黃巢之亂平定後，這首詩受到許多非議與側目，韋莊擔心惹禍上身，便到處收購〈秦婦吟〉，為的是將它們全數焚毀。他死前遺言要子孫對這作品「即得即毀」，怕的就是貽害後代。

韋莊與他的子孫果真將「焚詩令」執行得很徹底，〈秦婦吟〉

金陵圖　唐・韋莊

江雨霏霏江草齊，
六朝如夢鳥空啼。
無情最是台城柳，
依舊煙籠十里堤。

江上細雨濛濛，江邊春草青翠整齊，如夢的六朝已經過去，只有鳥兒空自鳴啼，似乎為六朝的興衰感到哀傷。只有那皇城的柳樹最無情，依然茂密生長，依然煙霧似的籠罩在這十里長堤上。

不久就絕跡了。直到一千年後在敦煌石窟中被發現，後人才看到這沉埋在灰燼中的〈秦婦吟〉，原來是這樣一首好詩。

韋莊除了寫〈秦婦吟〉之外，還寫過一首名詩〈金陵圖〉。這首詩寫的不是歷史人物，也不是歷史事件，更不是慘烈的戰爭，它表現出來的是一種氛圍，一種意境。

江南的雨，江南的草，江南的鳥啼，這些都令人有了美的聯想。想到的是那短促的六朝，像一個又一個的夢，在夢中留戀，也在夢中感傷。偏偏那台城的柳樹，皇都護城河旁的柳樹，對於朝代的改換是毫不介懷的。它們依然那樣茂盛，綠映人眼，細細柔柔的，像煙霧般圍繞著十里長堤。

此刻的詩人是有了悟的。他對歷史的興替盛衰感到無奈，他明白，這一切都只是個「空」。儘管再留戀不捨，時代還是翻頁了。於是，他從頹圮的唐王朝離開，跨進了前蜀，一個新的時代。

樓台，一去不復回的翅膀

盛唐詩人崔顥則是以一段過往的傳說，來歌詠眼前的建築，雖然不算是正規的詠史詩，卻也能表現出歷史的滄桑與難以掌握的渺茫之感。那就是赫赫有名的〈黃鶴樓〉，據說連「詩無敵」李白都甘拜下風呢。

崔顥在開元十年考上進士，他四處遊歷，增廣見聞，來到了位於武昌的黃鶴樓。黃鶴樓有仙人騎鶴而過的傳說，又有修道人在此成仙，駕鶴而去的故事，充滿傳奇色彩。

詩人開頭三句就用了三次「黃鶴」，完全不避重複。而我們仔細品味，會發現三隻黃鶴的象徵都不一樣：第一隻黃鶴是「仙人」；第二隻黃鶴是「建築」；第三隻黃鶴是「時間」。如此看來，竟是

黃鶴樓

唐・崔顥

昔人已乘黃鶴去，
此地空餘黃鶴樓。
黃鶴一去不復返，
白雲千載空悠悠。
晴川歷歷漢陽樹，
芳草萋萋鸚鵡洲。
日暮鄉關何處是，
煙波江上使人愁。

曾經潛心修道的人成了神仙，已經乘著黃鶴飛走了，這裡只留下一座黃鶴樓。神仙與黃鶴都一去不再回，在樓上的我們能看見的只有白雲，千百年來自在的優游著。晴朗的流水，映照著漢陽的樹林，歷歷可數，鸚鵡洲上的芳草茂盛，一片青翠的綠意。當天色昏暮，不禁懷想自己的故鄉，一層煙霧從江上浮起，這浩渺無邊的景象，使人難免憂傷啊。

一點也沒有重複的。這就是詩人層出不窮的創意與出神入化的筆力了。

詩中將寫景與心緒緊密結合，愈美麗的風景，就愈勾引出詩人內心的愁緒。大量使用的疊字，如「悠悠」、「歷歷」、「萋萋」，在聲韻上增添了纏綿的情致。

千年的光陰，就像一去不返的黃鶴，當詩人為此而覺憂傷，眼前的景色卻是這樣的開闊美麗：晴朗明亮的河川，排列整齊的綠樹，茂密豐美的芳草。天色漸漸暗下來，新的思鄉之愁從煙霧瀰漫的江水上，緩緩的升起。

怪不得這首詩一出現，便獲得眾口交譽，南宋詩論家嚴羽的《滄浪詩話》寫道：「唐人七言律詩，常以崔顥〈黃鶴樓〉為第一。」

說起詩仙李白與崔顥的〈黃鶴樓〉，還真是愛恨情仇，糾纏不休。據說壯遊山河的李白，不久也來到黃鶴樓，本想題詩一首表記眼前景色，讀過崔顥的詩，自覺無法超越，只好放棄，改寫了一首詩詠鸚鵡洲。

詩成之後，依然覺得望塵莫及，一怒之下，隨口說出這樣四句話：「一拳擊碎黃鶴樓，兩腳踢翻鸚鵡洲。眼前有景道不得，崔顥題詩在上頭。」

一個優秀的詩人或創作者，通常也是最嚴格的評論者，對自己的作品非常了解。這幾句話表現出詩仙的狂妄與任性，卻也是李白對崔顥至高的推崇。崔顥有名的詩不多，而僅只是這一首擊敗李白的〈黃鶴樓〉就讓他永垂不朽了。

李白後來去到了金陵，登上鳳凰台遠眺。詩人此時已添了許多風霜，所以憑弔歷史之餘，不免感慨今日，留下了這首千古名詩。

首聯寫鳳凰台的傳說，如今祥瑞的鳳凰遠離，六朝繁華也一去不返

登金陵鳳凰台　唐・李白

鳳凰台上鳳凰遊，
鳳去台空江自流。
吳宮花草埋幽徑，
晉代衣冠成古丘。
三山半落青天外，
二水中分白鷺洲。
總為浮雲能蔽日，
長安不見使人愁。

鳳凰台曾有鳳凰飛翔棲息，如今鳳去了，台空了，只有長江水兀自不停的奔流。東吳時華美的宮苑已經荒蕪，雜草都掩埋了小徑；晉代的名門望族，也早就煙消雲散了。眼前高聳的三山半隱半現，白鷺洲把秦淮河隔出了兩條支流。許多浮雲遮蔽了太陽的光線，使我登高還看不見長安城，怎能不憂愁？

了。前面兩句連用三個「鳳」字，有明快的節奏感。值得注意的是，這種「鳳凰」連續出現的寫法，與「黃鶴」連用三次的句式，有著微妙的相似，彷彿詩仙仍未走出崔顥模式。不愛受拘束的李白，很少寫格律嚴謹的律詩，但〈登金陵鳳凰台〉卻是律詩中的傑作。

鳳凰離去之後，引申出更深層的意義。東吳、東晉一代的宮廷名門，早已灰飛煙滅；只有眼前的大自然，依然壯美萬千。

最後一聯展現了他的思想核心。詩人回到現實，用了《世說新語》晉元帝的典故，並以太陽比喻皇帝，浮雲比喻奸臣。他面向長安，惦記著自己曾受玄宗寵愛的輝煌日子，暗示玄宗身邊現在小人圍繞，被遮蔽了耳目，也遮蔽了光芒，使李白無法為國盡心力，憂煩至極。

整首詩充滿時間、空間感，貫穿歷史典故、眼前景物，再與心中的感觸相融合。所以雖然屬於詠史詩，字裡行間卻寓含著才困時艱的感慨，歷史的滄桑與個人的際遇連結在一起，化為無窮無盡的寂寞與憂愁。

霸王，渡不渡得那條江？

「楚漢相爭」是膾炙人口的歷史故事，劉邦坐穩江山，項羽卻成為被歌詠和喜愛的英雄，就連他最後兵敗自刎的瞬間，也閃耀著天神般的光芒。

項羽，名籍，身長八尺，力能扛鼎，是中國數千年來最勇猛的將領。據載他是個「重瞳子」（也就是雙眼各有兩個相疊的瞳孔），是傳說中的聖人異相，而「重瞳界」名人前有舜帝，後有李後主。

秦末時，項羽被楚懷王封為「魯公」，在著名的「鉅鹿之戰」中，率領楚軍渡河，命令大家破釜沉舟——砸破鍋子、鑿沉船隻，表示不留退路、全力前進的決心，最後以寡擊眾，大破秦軍。這場戰役顯現出他過人的意志力與領導力，而那一年，他只有二十五歲。

他起兵反秦，自封「西楚霸王」，原先劉邦的實力根本無法與之抗衡，項羽卻在「鴻門宴」上，錯失了殺掉劉邦的機會，還分了幾個郡給劉邦當漢王。

項羽性子比較急，卻是個光明磊落的人，加上他的心腸軟，放棄了好幾次殺劉邦的機會，也就種下後來失敗的惡果。劉邦性格豪爽，年輕時懶散，不喜歡幫忙農事，被父親斥責，就像今日的「啃老族」一樣。這樣的人，竟然扳倒了才氣過人、神勇無敵的霸王。

秦亡後，項羽統治黃河及長江下游，範圍廣大。他忙著征討其他領地時，漢王劉邦乘機聯合各諸侯軍，攻占楚國首都彭城，自此開始了楚漢對峙。經過多次攻守交防，雙方訂立停戰和平協議，以鴻溝為界，即知名的「楚河漢界」。沒想到項羽遵守約定、率軍東歸時，劉邦竟立刻毀約出兵，追殺思鄉多年、已沉浸在歸鄉喜悅中而毫無防備的楚軍，再把項羽逼到死路。

最後，項羽在垓下被劉邦所敗，唱出了有名的〈垓下歌〉：「力拔山兮氣蓋世，時不利兮騅不逝。騅不逝兮可奈何？虞兮虞兮奈若何！」表達了最大的感慨。接著，他突圍至烏江，卻拒絕渡江。因

題烏江亭

唐・杜牧

勝敗兵家事不期，
包羞忍恥是男兒。
江東子弟多才俊，
卷土重來未可知。

戰場上的勝敗難以預料，能夠從失敗的羞辱中站起來才是真正的大丈夫。何況江東子弟人才濟濟，如果西楚霸王當年願意返回江東，再整軍經武一番，捲土重來，最後誰勝誰負都說不定！

為當初帶了江東子弟八千人，如今無一人生還，令他「無顏見江東父老」，隨即自刎而死。

千年後的杜牧，來到了項羽自刎的烏江亭，寫了一首〈題烏江亭〉詠懷項羽。他替項羽感到不值，認為勝敗乃兵家常事，每個人都打過敗仗，何必為了失敗就自殺呢？他覺得項羽應該放下身段，忍辱負重。當初只帶子弟八千人就可以建立這樣的功業，表示江東子弟藏龍伏虎，只要回去再整旗鼓，那麼天下是楚的、是漢的？還很難說呢。流露的盡是慨歎之情。

後人評論項羽時，常常都與杜牧的觀點類似，認為項羽「小不忍則亂大謀」。然而，我們若讀到了太史公司馬遷在《史記・項羽本紀》裡對末路霸王的描寫，或許會有不同的感受。

項羽沒有當過皇帝，司馬遷卻以「天下統治者」的規格將他編入「本紀」，而不是貴族或諸侯的「世家」。原因是「在權不在位」，等於把他和漢高祖劉邦列在相同的位置上，可見對項羽的功業與影響力相當推崇。

《史記・項羽本紀》寫著，項羽兵敗，帶著二、三十個子弟兵

來到烏江邊，烏江亭長駕著一條小船來接，對他說：「江東雖小，地方千里，眾數十萬人。」認為項羽在那裡稱王還是可為的。所以希望大王趕快上船，大家一起逃走，而今天只有亭長有船，就算漢軍追來了也無法渡江。

但是，項王笑曰：「天之亡我，我何渡為！」這一笑，真是英雄的笑！上天要亡我，我何必還要渡江而去呢？「籍與江東子弟八千人渡江而西，今無一人還。縱江東父兄憐而王我，我何面目見之？」就算江東父老可憐我，願意讓我當王，可是我有什麼面目見他們呢？「縱彼不言，籍獨不愧於心。」就算這些人都不指責我，不怪我，但我面對他們時，內心能好過嗎？不會感到慚愧嗎？

就在這一刻，項羽把自己和江東子弟放在同樣的地位，而不是「一將功成萬骨枯」；他不只是一個霸王，也是一個兄長；他不是個貪得無厭的權力者，而是真正的英雄。他選擇了放棄，讓天下從戰火連天歸於平靜，讓江東子弟不必再犧牲，讓天下百姓得以休養生息。太史公把項羽寫成一個不得了的英雄，就像史詩、神話或戲劇裡的那種悲劇英雄。

夏日絕句

宋・李清照

生當作人傑，死亦為鬼雄。
至今思項羽，不肯過江東。

活著時應當做個人中豪傑，死了也該成為鬼中英雄。人們之所以到現在還思念著項羽，就是因為他不肯回去江東再整旗鼓，犧牲子弟。

項羽的心情是杜牧不能理解的，或許因為男人總是以建功立業來評斷一個人的成敗吧，而女人卻能看見英雄曲折的內心。

宋代詞人李清照有一首〈夏日絕句〉就是在詠項羽。她說活著的時候就該當個人中豪傑，就算死了也要做個鬼中英雄，而項羽便是她心目中真正的人傑跟鬼雄。

李清照也覺得項羽是可以過江東的，而且過江東後有機會捲土重來、東山再起，但他不願意，他選擇放棄，成就了更高的品格。

李清照此詩為豪氣、悲情的項羽歎息，但也理解、認同他最後的決定。所以這「不肯過」，便是項羽一生最高貴的表現，也是他成為英雄的原因。

荊軻，提劍出京易水寒

接下來是也出現在司馬遷《史記》中的荊軻，太史公將他編於〈刺客列傳〉。荊軻的形象是抗秦壯士，也是可以為知己而死的性情中人。

春秋戰國時代刺客盛行，為知己或為主人赴湯蹈火，雖千萬人而獨往，無所畏懼，使命必達。最有名的刺客是曹沫、專諸、要離、豫讓、聶政與荊軻，而荊軻刺秦王是最石破天驚的一擊。

戰國末年，秦王嬴政有著兼併天下的野心。在滅韓之後，又出兵伐楚、攻趙，即將來到燕國。燕國群臣、百姓都活在死亡的恐懼裡，燕太子丹便計畫派刺客行刺秦王，想威脅他歸還各諸侯國的土地，或是直接殺了他復仇。門客荊軻本是衛國人，為了報答太子丹知遇之恩，允諾成為此行的刺客。

著名的「易水送別」後，荊軻揮別太子與好友高漸離等人，帶著副手秦舞陽來到秦國，重賂秦王寵臣向秦王進言，說燕王願意投降，派了使者獻上秦國叛將樊於期的頭顱和燕國肥沃土地的地圖。嬴政大喜，設宴接見。荊軻到了殿前，奉上地圖，秦王打開地圖時，圖窮而匕現，荊軻奮力一擊——

擊刺過程相當震撼，但沒有成功。因荊軻想生擒秦王，以匕首威逼歸還諸侯土地，使秦王得以繞柱子閃躲。後來大批武士衝上殿來，以殘忍的方式殺了荊軻。爾後，燕太子丹及燕國，也沒有逃過劫數，刺秦最終以悲劇收場。儘管歷來對此事件褒貶不一，但史上的刺客多出現於亂世，他們總是以肉身執行那幾乎是不可能的任務，往往如同騎在虎背上，知道

於易水送人　唐・駱賓王

此地別燕丹，壯士髮衝冠。
昔時人已沒，今日水猶寒。

就在易水這裡，壯士荊軻告別了燕太子丹，他悲壯的歌聲使人激昂得頭髮衝冠而起。荊軻當年行刺暴秦功敗垂成，死於秦王手下，令人敬佩。直到今天，我仍然感覺寒意籠罩著易水邊。

必死，還是勇往直前。所以，質樸淡泊如陶淵明，也寫過激昂感人的〈詠荊軻〉。

陶淵明生活在晉朝末年，是即將由東晉入南朝宋、殺伐不已的離亂年代，他借荊軻史事，諷刺當朝無才無德卻居高位的小人。雖對刺秦未成覺得相當遺憾，但仍渴望荊軻那樣的江湖俠客來行俠仗義，鏟除恃強凌弱的壓迫政權，於是在詩中塑造了令人敬佩的除暴壯士形象。「君子死知己，提劍出燕京。」、「心知去不歸」、「千載有餘情」等名句，在在歌詠了荊軻這樣的豪俠之士，由衷敬佩他那短暫卻耀眼的光芒。

詠荊軻的史詩中，還有一首〈於易水送人〉，作者是初唐四傑的駱賓王。詩題是送別，卻別開生面，不談離情依依、描述友誼等一般送別詩常見的內容或客套話，直接走入歷史之中，可見所送朋友必定是肝膽相照之人。

開頭兩句便帶領讀者「穿越」，回到荊軻出發刺秦那一日，太子與賓客穿白衣、戴白冠，於易水邊為荊軻餞別，心情感傷。荊軻和大家都明白，此去不會有再回來的一天，於是在好友高漸離的擊筑聲中，激昂高唱：「風蕭蕭兮易水寒，壯士一去兮不復還！」歌聲悲壯，以至於座中英豪個個慷慨激昂，怒髮衝冠，送別場景充盈著蕭瑟悲壯的氣氛。

然後畫面回到駱賓王的時代。看著被寒意籠罩的易水，詩人心中的千言萬語，卻是對自己乖舛的際遇憤憤不平。他希望推翻武則天的統治，進一步匡復李唐王朝，所以自然將今昔的易水送別交融在一起。

「今日水猶寒」乃詩的意旨，強調他對今日現實環境的感受，曲折的反映出苦悶、沉痛的心境。他對荊軻為正義犧牲的風骨表達了崇敬之意，暗示了自己也有那樣的情操。

全詩「送人」是其次，「抒懷詠志」才是目的，文字充分展現了跌宕有致的力量。然而對照結果，詩人悲劇般的一生，也與荊軻有著異曲同工之妙。

我們活在歷史中，也將成為歷史的一部分。這些歌詠歷史的詩歌，讓我們看見了詩人的感懷，也領略了詩人的史觀。

那些興盛與衰敗，改朝換代的故事，到底是無可扭轉的天命，還是起心動念的選擇？歷史，是不可改變的嗎？歷史，有沒有規則可循？人類能不能因為歷史的學習而更有智慧？

「亂哄哄，你方唱罷我登場。」我們還來不及感歎，時代的巨輪又往前滾動了。

座右銘：生當作人傑，死亦為鬼雄。

我們活著時，該認真、盡力走這世上一遭，無論生命長短、功業如何，都須真誠磊落；死去時，也能豁達從容，無愧於心。這樣不管身在何處，都是英雄豪傑。

穿越模式啟動

現今許多考題會是這樣的：「閱讀此詩，推斷其所吟詠的歷史人物為何？」我們便要有穿越古今、融會貫通的本事，找出關鍵詞，注意陷阱，答案便呼之欲出。

一、「猿愁魚躍水翻波，自古流傳是汨羅。蘋藻滿盤無處奠，空聞漁父扣舷歌。」

答：屈原。（唐·韓愈〈湘中〉）

■關鍵詞：汨羅（屈原投河處：汨羅江）、漁父（典出屈原作品《楚辭·漁父》，其中載有與漁父的對話，名句：「舉世皆濁我獨清，眾人皆醉我獨醒。」亦出自此。）

二、「鳥盡良弓勢必藏，千秋青史費評章。區區一飯猶報恩，爭肯為臣負漢王。」

答：韓信。（清．包彬〈淮陰侯廟〉）

■關鍵詞：漢王、鳥盡弓藏（典出《史記．淮陰侯列傳》：「狡兔死，良狗烹；高鳥盡，良弓藏；敵國破，謀臣亡。」）、一飯千金。（韓信未得志前接受漂母（洗衣婆婆）的救濟，之後回贈千金以報一飯之恩。）

三、「英雄那堪屈下僚，便栽門柳事蕭條。鳳凰不共雞爭食，莫怪先生懶折腰。」

答：陶淵明。（唐．胡曾〈詠史詩．彭澤〉）

■關鍵詞：門前栽種五柳樹，自號「五柳先生」、陶淵明不為五斗米折腰。

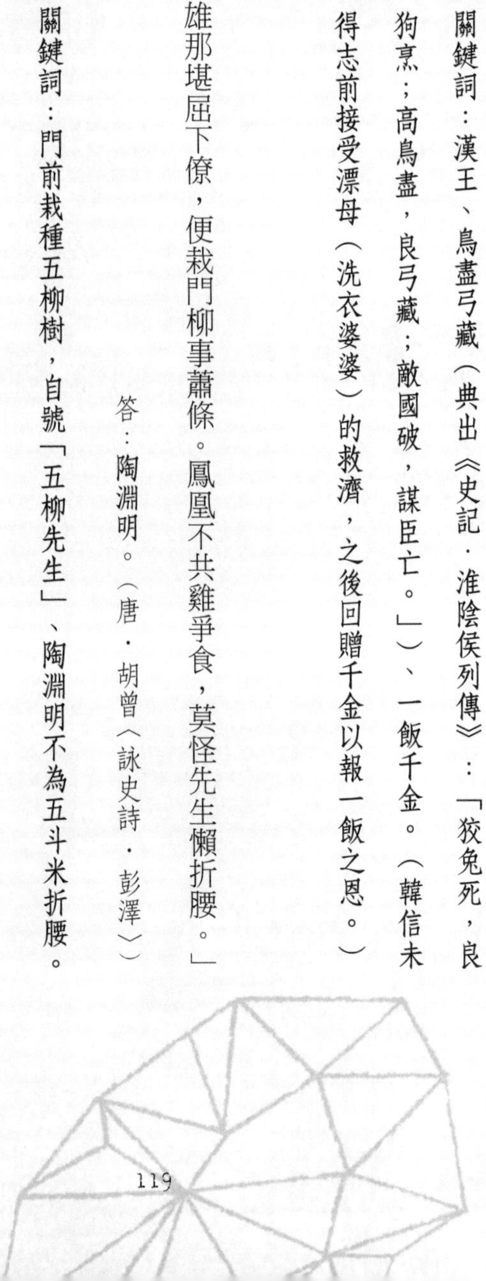

主題十

摸一摸風的形狀——詠物詩

風

詠柳

不第後賦菊

病牛

風是神奇魔術師

風，可說是大自然裡最有「顯著生命力」的。雖然它沒有形狀、色彩，卻能像雲一樣千變萬化，影響著萬物的生活。

古今文學家都愛詠物，且多半意在借物抒懷。像初唐四傑的王勃，在〈詠風〉詩中說：「去來固無跡，動息如有情。」他讚美一天到晚來來去去的風，無形無跡，卻普濟眾生，對大地做出慷慨奉獻，不遺餘力，彷彿是一個有情有義的人。

這不僅是王勃詠物詩的代表作，也是詠風詩的佳作。他以風託志，抒發自己積極進取的志向。

而清朝的趙翼在〈野步〉詩裡說：「最是秋風管閒事，紅他楓葉白人頭。」用擬人法寫颯颯秋風，不僅吹紅楓葉，也吹白了人的

風

唐・李嶠

解落三秋葉，能開二月花。
過江千尺浪，入竹萬竿斜。

風，能吹落深秋的枯葉，也能在二月時溫柔的使花都開放。當它吹過江河，能捲起千尺高的浪濤；而吹入竹林時，又會使所有的竹竿都斜斜的彎下身軀。

頭髮，詩人帶著抱怨的口氣說：「真是多管閒事的風呀！」詩中用詞新穎，色彩鮮明，雖道出歲月流逝的秋怨，卻無秋悲，倒有些俏皮的情味。

唐朝詩人李嶠的〈風〉，最能讓我們感覺風的強烈存在。風是無形、無色、無味的，甚至無法觸摸，那該怎麼描寫呢？李嶠這首〈風〉，便用其他東西和季節來凸顯風的存在，以視覺來使人明白風的作用和威力。

他說，風可以吹落深秋的葉子，具有肅殺之氣；但厲害的是，到了春天，它又能喚醒二月的花朵，使它們開放。真像神奇的魔術師！但如果它發怒了呢？吹過江上，會掀起千尺高浪；而一入竹林，所有的竹子全都歪歪斜斜的直不起腰來！全詩單純詠風，用字簡潔，使用「三」、「二」、「千」、「萬」這些數字來鋪排風的不同面貌，從季節到空間，有平面有立體，真是趣味橫生。

風，真的是看不見的嗎？藉由這樣的詠物詩，我們還是可以「看見」風。只要細心感覺，便能看見風的線條，觸摸風的形狀，甚至，描繪出風的顏色。

柳的風姿，菊的香氣

柳樹與「留」音相近，多種在岸邊，古人要遠行，即將乘船啟程，親友送別時便會折一段柳枝相贈，表達「挽留」的不捨之意，因此柳樹常與離別的情緒相連，以柳喻離情的大有人在。《詩經》中早有「昔我往矣，楊柳依依。」的句子。

唐代詩人羅隱的〈柳〉：「灞岸晴來送別頻，相偎相倚不勝春。」便是描述柳岸送別的難捨難分。李白的〈折楊柳〉：「攀條折春色，遠寄龍庭前。」表達了在春天折柳思念之意。劉禹錫的〈楊柳枝〉：

詠柳

唐・賀知章

碧玉妝成一樹高，
萬條垂下綠絲縧。
不知細葉誰裁出，
二月春風似剪刀。

碧玉妝扮成高高的柳樹，垂下無數綠色絲帶般的枝條，十分美麗。不知這樣整齊細長的葉片，是誰的巧手所裁出的？原來是二月的春風吹拂，溫柔的剪出來的呀！

「長安陌上無窮樹，唯有垂楊管別離。」更說明了柳樹與別離密不可分的關係。

而賀知章的〈詠柳〉，則別具風味。他的詩風淡雅雋永，常有巧思，最有名的是〈回鄉偶書〉，而〈詠柳〉則充滿清新巧妙的意象。此詩跳脫傳統的離情依依，單寫柳樹姿態，別有一番妙趣。

春光爛漫的江南二月，柳樹是碧玉一般的綠，垂下的枝條像細細的絲帶，千絲萬縷，搖曳生姿。詩人很想知道誰有那樣的巧手，能剪裁出如此整齊畫一的細長葉片？於是把柳葉的形狀研究、想像了一番，一向給人溫暖和悅印象的春風，原來是個剪刀手呀，只有他才能將柳葉剪裁得這樣精巧而美麗。

這裡的春風，變成一位造型大師了！這是「想像力」的極度發揮，不只是運用在比喻法、擬人

不第後賦菊　唐・黃巢

待到秋來九月八，
我花開後百花殺。
衝天香陣透長安，
滿城盡帶黃金甲。

等到了秋天的九月初八這一天，當我們這些菊花盛放的時刻，也就是其他各種花朵凋落的時節了。我們將散發出濃烈的香氣穿透長安城，渾身穿戴起黃金的盔甲，占領首都。

法而已，還要翻轉萬物的本來樣貌，得出新的生命與觸動，無比神奇。

晚唐還有一位特殊的詩人，不僅以他的詩翻轉事物的樣貌，甚至想要以他的力量翻轉天地。雖然失敗了，卻留下一首銳氣閃耀的菊花詩。那就是「黃巢之亂」的首腦人物——黃巢。

黃巢出身於運販私鹽致富的人家，他帶領著數萬農民起義，反抗朝廷的昏庸與剝削。起初治軍嚴明，士氣高昂，轉戰江南一帶，自稱「衝天大將軍」，兵力迅速擴張達五、六十萬人，所到之處皆望風而降。起兵七年之後，順利攻克長安城，唐僖宗狼狽逃走，黃巢自立為帝，改國號「大齊」。

可惜黃巢沒有長治久安的準備，戰事失利時便顯出殘暴的本質，瘋狂屠殺平民百姓，最終節節敗退，被屬下所殺（一說自殺），結束了充滿傳奇的一生。

黃巢是個讀書人，對他來說，最大的遺憾應該是科舉考試的一再失利吧。在這首流傳後世的〈不第後賦菊〉的詠菊詩中，可以清楚看見考場失意的黃巢，已經有了圖謀不軌的思想，充滿叛逆的精神。

秋天是收穫的季節，常常也是農民反抗暴政的時機。菊花在秋天開放，算是時序最晚的花。黃巢利用這個特色，寫出「有我無敵」的氣概萬千；又用菊花的香氣與形狀，象徵兵力的集結與軍容的壯盛。尤其是菊花的花瓣竟能聯想到金屬盔甲，果然有非比尋常的想像力。

鞠躬盡瘁一病牛

詠物詩就是以詩來寫大家熟知的大自然萬物，可以單純描寫，也可以借物抒懷，當然也能以物說理。中唐大詩人白居易寫過一首很有名的詩〈鳥〉，就是要灌輸眾生平等的觀念：「誰道群生性命微，一般骨肉一般皮。勸君莫打枝頭鳥，子在巢中望母歸。」同樣一塊天頂在頭上，同樣一塊地踩在腳下，也就是《弟子規》說的「天同覆，地同載。」所以不要覺得人命最貴重，其他物種的性命就是卑微的。

而宋朝的李綱，將山水詩中作為配角的牛，提升為詩的主題，整首寫牛，託牛以言志。

南宋李綱是著名的抗金大將，在徽、欽二帝被擄的「靖康之難」

病牛

宋・李綱

耕犁千畝實千箱，
力盡筋疲誰復傷？
但使眾生皆得飽，
不辭羸病臥殘陽。

耕耘了千百畝的地，裝滿了千萬座糧倉，使人們不愁吃穿。自己卻耗盡精力，疲累不堪，傷病滿身，有誰來同情勞苦的牛呢？但只要百姓都吃飽了，自己即使瘦弱到病倒在夕陽之下，也在所不辭。

後，宋室南渡，高宗即位，命李綱為宰相。他力圖革新，但皇帝只想偏安，所以李綱主政僅有七十五天，便遭高宗罷黜。後來他多次上獻抗金計策，皆未被採用，壯志未酬，最後憂憤而死。

李綱被罷去相位、貶到武昌後，仍憂國憂民，寫下了〈病牛〉詩。在農業社會中，一頭牛耕一輩子田，幾乎負擔所有生產工作，是以長年累月筋疲力盡，還有不斷的傷病。如今牛老了、病了，快要死了，仍無怨無悔，只要眾生都有了溫飽，牠就算用盡最後一絲力氣，都在所不惜。

李綱以牛自況，是一生為國為民、「鞠躬盡瘁，死而後已。」的真實寫照。這首質樸無華、卻使人動容的詩，展現了偉大的愛民情操，得以傳頌千古。

時空舞台上，天地是廣闊無涯的寶庫，花草樹木、日月星影，能令人喜、令人悲、令人讚佩。我們身在其中，能觀賞、能閱讀、能創作，何其幸福！

當我們攤開稿紙寫作，卻總覺得缺乏寫作靈感與題材時，不妨多讀幾首詠物詩，看看詩人如何與萬物對話，發抒感想，以物喻情、

託物言志，信手拈來皆是取之不盡、用之不竭的好材料。

只要常常動動腦細胞，練習聯想力、想像力、邏輯組織能力，就像擁有一枝哈利波特的魔法棒，享受著點石成金的驚喜與富有。

座右銘：但使眾生皆得飽，不辭羸病臥殘陽。

盡量勤於耕耘，付出心力，慷慨奉獻。只要自己能有用於團體、家庭、社會、國家，再怎麼辛苦，都是值得的，人生會有不凡意義。

創作模式啟動

模式一、〈風〉的神奇魔力

同樣是形容風，李嶠用了「落葉」和「開花」兩種狀態來凸顯風的冷酷和溫暖。雖然落葉乃是秋季裡的自然現象，並不全是風運作的結果；就像春天裡百花盛開，也並不都是因為風的緣故，但，如此寫來，確實讓風有了神奇的魔力。

寫作時也可以將這兩種意象同時使用，例如形容母親生起氣來「解落三秋葉」，微笑的時候「能開二月花」，很具形象力，定能令人會心一笑。

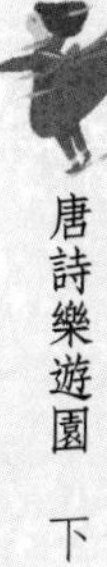

模式二、〈不第後賦菊〉的擬人法

所謂「擬人法」，就是將動物、植物或沒有生命的東西人格化，使它們具備人的情感與性格，讓它們像人一樣的活動起來，並且能夠感知這個世界。

黃巢在這首詠菊詩中，將自我的強烈意識投入其間。他對當時的腐朽政權與王朝感到憤慨，叛變的種子已在心中萌芽。

他想像著：那會是在菊花開得最盛的深秋，集結著成千上萬的百姓，長驅直入長安城，就像是金黃色的菊花花瓣，戰士的盔甲也閃閃發光。

菊花不再只是菊花，而是一種反抗、一場戰爭。這是很值得觀摩的擬人技法。

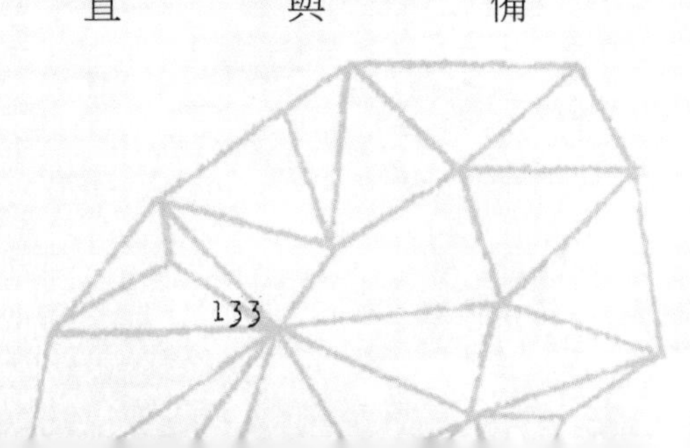

主題十一

悠長勻稱的脈動——中唐詩

賦得古原草送別　離思　題李凝幽居

長恨歌（節錄）　陋室銘（節錄）　蘇小小墓

琵琶行（節錄）　烏衣巷　苦晝短

觀游魚　竹枝詞

鳥　遊子吟

運動促進詩的繁榮

開明美好、熱情爽朗的盛唐氣象，如繁花燦爛，賜予大地一長季的耀眼光芒。接下來的中唐七十年，則政治委靡不振，繁花日漸凋萎。

安史之亂後，大唐本應休養生息，然而遺憾的是，藩鎮割據、宦官擅權，階級嚴重對立，社會愈來愈無法安定了。知識分子將胸中的不平之氣與昂揚鬥志，發揮在文學和創作上。於是，韓愈、柳宗元揭竿而起。

「古文運動」是對現實最尖銳的批判與改革，這力道震動了文壇。雖然在當代是一場艱辛痛苦而孤獨的革命，到了宋代卻百花齊放，星光閃耀，匯聚而成「唐宋八大家」。

唐宋八大家

韓愈對中唐時期只重形式不重內容的文壇風氣感到不滿，於是與柳宗元共同發起了「古文運動」。他們提出復古的文學理論，又廣收門徒，在當時確實成為一股不可忽視的文學新勢力。到了宋代，則有了更多響應者與傑出的作品。

「唐宋八大家」就是指寫作古文卓然有成的八位作家：唐代的韓愈、柳宗元，北宋的歐陽修、蘇洵、蘇軾、蘇轍、曾鞏、王安石。

新樂府運動

「樂府」原本指的是漢代專門掌管音樂的官署。這個官署從民間蒐集而來的歌謠，就叫做「樂府詩」，簡稱「樂府」。因為來自民間，具有敘事寫實，語言淺顯通俗的特色，並且都是可以入樂而歌的。

「新樂府運動」是白居易和元稹提倡的詩歌改革運動，與「古文運動」相呼應。他們認為詩不必入樂為歌，但是「文章合為時而著，歌詩合為事而作」，也就是強調詩歌應該具備反映社會現象的功能，並有批判和諷諭的作用。

至於詩的創作則延續了盛唐的詩派，田園、社會、邊塞，各有傳承者，作品誠然多樣化，但可看出壯志難伸的無奈與憂傷。

簡單的說，當大環境動盪嚴酷，詩人陷入憂鬱憤懣中，也只能在詩裡抒發。於是浪漫主義消退，關心百姓的現實主義抬頭，其後並發展出諷刺時事的「新樂府運動」。

因此，藉著社會寫實詩壯闊的絢爛光彩，及奇險派脫離平庸的異軍突起，唐詩在中唐的貞元、元和年間，花開得獨特有型，於是有了第二次的繁榮期。

沒有臉書宣傳，囝仔阿嬤都喜歡

中唐代表性詩人很多，首推白居易。

白居易，字樂天，現存三千多首詩。他的詩平易淺近，不必精美的辭藻和過多的解釋，卻孩童能讀、老婦能解，直接表達了最純粹、樸實的情感，且含意深遠，影響廣大。

白居易在世時便名滿天下，尤其最負盛名的二十年間，詩作竟能像貨幣一樣流通。一般老百姓會用絲布換取魚、肉，讀書人卻可用白居易的詩文抄稿去換取生活必需品。在許多寺廟、驛站、亭台的牆上，也都能一睹他的作品。

沒有臉書的時代，這樣一位囝仔阿嬤都喜歡，紅男綠女皆「粉絲」的大詩人，自小苦學，夜以繼日讀書寫作，以至於手肘長繭、

賦得古原草送別

唐・白居易

離離原上草，一歲一枯榮。
野火燒不盡，春風吹又生。
遠芳侵古道，晴翠接荒城。
又送王孫去，萋萋滿別情。

古原上的青草繁茂，每年都經歷欣欣向榮的生長及枯萎。但它們的生命

口舌生瘡，像著了魔一樣，遂有「詩魔」之稱。

家貧多變故的白居易，十一、二歲就過著流離生活，十六歲到長安應試，以一首考試的練習作品〈賦得古原草送別〉，讓前輩詩人顧況大為賞識，因而成名。他和元稹、劉禹錫等詩人都有好交情，常寫詩相贈，世稱「元白」、「劉白」。

我們先來看讓白樂天嶄露頭角的〈賦得古原草送別〉。

按規定，凡考試指定或限定的詩題，前面要加上「賦得」兩字，當時白居易拜謁京城名士顧況，顧況看他年輕，便拿他的名字調侃他：「長安米貴，居大不易。」意思是：「京城裡不好混飯吃啊！就憑你這十六歲小孩……」沒想到，當顧況讀到〈賦得古原草送別〉的「野火燒不盡，春風吹又生。」便露出驚異的表情，改口對白居易說：「能寫出這樣的詩句，在長安居，也就容易了。」

此後，顧況極力向人推薦白居易的詩，表現出愛才惜才的熱情。由此可見，白居易的創作天賦，從少年時代便已有著難以掩抑的光芒，也就注定了未來的高度。

本詩以「草」象徵別情，整首詩都以草的意象貫穿。草的生命

力很強，連野火都燒不斷生機，只要春風一吹，又恢復了茂密的樣子。芳草可以蔓延至遠處的古道上，陽光下，更是一片翠綠，一直連接到那荒蕪的舊城邊。朋友啊，我在這裡送別又要遠去的你，草木萋萋，就像是濃烈的離情啊！

力那樣頑強，有著不可摧毀的韌性，詩中的疊字「離離」、「萋萋」，都是形容草的茂盛。

這位十六歲詩人，先給讀者遼闊原野的連綿草景，頷聯、頸聯講的便是草的生命力。「野火燒不盡，春風吹又生。」更傳達了堅毅的人生觀，是本詩的精髓，也是傳誦千年的名句。而直到最後一聯，才點出送別的主旨，並以繁茂的草來比喻生生不息的離別之思。

詠草又詠情，把對自然和朋友的情感巧妙結合，含蓄之中有著濃烈，難怪老詩人顧況歎賞不已。它不只用字通俗，還是「賦得」之絕，更是唐詩中的傑作啊！

送別了離人，來一首歡迎好友的詩：〈問劉十九〉。唐人慣以

家族內的兄弟排行稱呼，如白居易也自稱白二十二，而劉十九即是他的「麻吉」——家族排行第十九的劉禹錫。

本詩講的是寒冷季節裡的溫暖，以及漫長人生中的知心好友。首聯就是一組對句，「綠螘新醅酒」對「紅泥小火爐」，尤其紅與綠的相對，色彩鮮明，彷彿能看到熱度。酒與爐，也是尋常人家在冬夜的尋常擺設，而且那酒是沒過濾的粗酒，酒上還浮著綠色泡沫，用小火爐溫著，等待著。

後兩句是對寒夜剛到的朋友的問候，只消一兩句通俗的語言，便道盡了關心的知己之情。短短二十字，毫不艱澀，是白樂天膾炙人口的名詩之一。

天長地久，此恨綿綿

中唐政治腐敗，白居易哀憐百姓、關懷民生，寫有許多諷諭詩。他還倡導「新樂府運動」，是偉大的現實主義詩人，主張創作必須取材於生活，直接表達，才能反映時代狀況。這種想法和做法，在當時獲得很大的迴響。

他擅長各種詩體，特別是敘事長詩。唐朝寫絕句、律詩的人多，少有人寫樂府長詩，白居易便是其中之最。他的詩除了淺白易懂，聲調也很優美，即使像代表作〈長恨歌〉和〈琵琶行〉兩首長篇，也能廣為傳誦，乃至「童子解吟長恨曲，胡兒能唱琵琶篇。」比流行歌曲還要流行。

〈長恨歌〉是白居易最為知名的千古絕唱。他以歌行體書寫了

長恨歌（節錄） 唐．白居易

漢皇重色思傾國，
御宇多年求不得。
楊家有女初長成，
養在深閨人未識。

唐玄宗與楊貴妃曲折的愛情悲劇，可以說是對君王又責備又歌頌、又諷諭又同情的文學作品。

特別處是描寫和比喻生動出色，也在感性藝術中，融入歷史典故，用很多的層次鋪陳，以很長的篇幅敘事，讓全詩婉轉動人，饒富韻味。

一開始描寫楊玉環的到來與受寵，玄宗皇帝自此無心於國事。「漢皇重色思傾國」是這悲劇的主因，也是全詩的綱領。君王想要追求的是「傾國的美女」，最終卻導致了「傾國的命運」。

悲劇發生的緣由：安祿山來攻，玄宗兵馬倉皇的逃難，半路上因為六軍的脅迫，只好無奈賜死貴妃。而亂平之後，玄宗回到京城，深情的思念貴妃，且因「悠悠生死別經年，魂魄不曾來入夢。」便想透過道士去仙界尋妃。

道士招魂，「上窮碧落下黃泉」都沒能尋見，最後卻在海外仙山找到貴妃。貴妃取出信物請道士帶給玄宗，更說出了他們曾在七夕之夜許下生生世世的盟約。如今，生死永隔，這一切都成了過眼雲煙。「天長地久有時盡，此恨綿綿無絕期。」哀傷與憾恨是永無

天生麗質難自棄，
一朝選在君王側。
回眸一笑百媚生，
六宮粉黛無顏色。
春寒賜浴華清池，
溫泉水滑洗凝脂。
侍兒扶起嬌無力，
始是新承恩澤時。
雲鬢花顏金步搖，
芙蓉帳暖度春宵。
春宵苦短日高起，
從此君王不早朝。
承歡侍宴無閒暇，
春從春遊夜專夜。
後宮佳麗三千人，
三千寵愛在一身。

唐明皇李隆基貪求女色，一直想得到絕世美

女，登基多年仍不可得。後來一戶楊姓人家有個女兒剛剛成長，嬌養在深閨中，沒有人知道。這女孩生來容貌姣好美麗，很難被埋沒，於是有一天被選進宮裡，陪侍在君王的身邊了。而她只要回頭輕輕一笑，轉動著明亮的眼睛，就有了千嬌百媚。和她相比，後宮所有美貌的嬪妃，全部都黯然失色。春天寒冷時，皇帝賜她在華清池裡洗浴，滑潤的溫泉水洗著那細緻的皮膚，之後侍女扶她起來，她顯得嬌弱無力，這正是她受君主新寵的時候。貴妃有雲般的鬢髮、鮮花般的容貌，頭上戴著金步搖，走起路來輕輕晃動，好看極了。她在溫暖的芙

止境的啊。傳奇於此落幕，歌聲卻不時迴盪，人世間最尊貴的愛情，竟是這樣淒涼的結局，令人感歎不已。

詩中女主角楊貴妃，必然有著傾國傾城的美貌，經過白居易的描寫，千年來坐穩了絕世美人第一把交椅。詩人筆觸細膩，形容高絕，使得貴妃的形象鮮明而迷人，至今無人能超越。

詩人先用「初長成」表示貴妃的青春，「天生麗質」是說她的美都是自然的，並沒有經過太多的修飾。而她僅只是「回眸一笑」，就有無窮的魅惑能量，讓「六宮粉黛」都黯然失色了。

皇帝對她非常愛寵，賜她洗沐溫泉，貴妃出浴嬌弱無力的樣子更是讓皇帝大為傾倒。詩人描寫她滑潤細緻的

蓉帳裡，和皇帝甜蜜的共度春宵。這樣的春夜顯然太短，便一直睡到太陽高照才起身，從此君王就無法在清早上朝開會了。她忙著使君王歡笑，陪侍宴飲，沒有一點空閒；在春天跟著君王遊春，晚上則侍奉君王夜宿。後宮裡有三千美女，所有的寵愛都集中在楊貴妃一人身上了。

肌膚，美麗的容顏，烏黑光澤的頭髮，髮上的金步搖，具體而細微的形容女子的美態，可說是登峰造極。皇帝把全部的愛戀都牽繫在她的身上，為了她荒弛了政事，「從此君王不早朝」，也就埋下了奸臣弄權，天下大亂的禍根。

白居易在世時，〈長恨歌〉就已廣泛流傳於社會各階層，也對後世文學影響極大，甚至影響了日本文壇，如《源氏物語》的創作。

而因為白居易故意對若干史實做了改變，且未明示此詩的主題，只以「長恨」二字為題，所以歷代學者對這首詩有不同的詮釋與看法，直到現今，仍被熱烈的討論著。

江上琵琶，淪落天涯

琵琶行（節錄）　唐・白居易

大弦嘈嘈如急雨，
小弦切切如私語。
嘈嘈切切錯雜彈，
大珠小珠落玉盤。
間關鶯語花底滑，
幽咽泉流水下灘。
水泉冷澀弦凝絕，
凝絕不通聲暫歇。
別有幽愁暗恨生，
此時無聲勝有聲。

白居易成名很早，二十八歲就中進士，為官勤政愛民且直言敢諫，自然容易得罪當權者，故而常被貶官。元和十年，已是中年人的他，又因莫須有的罪名被貶為江州司馬，從此飄零，這是他人生與創作很大的轉捩點。

鬱悶的詩人，在江州潯陽江頭送別客人時，遇到了琵琶女。先以同情琵琶女被拋棄的遭遇起興，然後對應到自身的際遇，寫成敘事結合抒情的〈琵琶行〉并序。先是序，再是樂府長詩，充滿了感歎與悲傷。因為寫的是琵琶的精采演奏，也成為古代描寫聲音的代表詩篇。

〈琵琶行〉一開始敘述潯陽江頭夜飲送客的情景。偏僻地方忽

銀瓶乍破水漿迸，
鐵騎突出刀槍鳴。
曲終收撥當心畫，
四弦一聲如裂帛。
東船西舫悄無言，
惟見江心秋月白。

那大弦嘈嘈的聲音像陣陣急雨，小弦切切則彷彿四下無人的低語。而大弦嘈嘈、小弦切切交錯彈奏著，就如大珠、小珠紛紛滾落在玉盤裡的清脆聲響，十分悅耳。接著，那樂音流動，像花叢裡黃鶯婉轉輕滑的啼叫聲；又像流泉遇到了沙灘，哽咽抽泣。爾後流泉又冷又澀，琴音凝滯；凝滯不通時，樂音漸漸停歇。就在此

然傳來琵琶聲，主人客人都被吸引。於是船也不發了，反而移船重開宴，邀請琵琶女為大家演奏。

再來便是對於樂曲出神入化的描寫，從「千呼萬喚始出來，猶抱琵琶半遮面。」起，撥弦試彈，曲調未出，已充滿著感情；而曲調一出，滿座無語，大地沉默。

接著，寫琵琶女傾訴遭遇，回憶極受歡迎的年輕時代，以及年長色衰後的淒涼。結尾為詩人的感懷，自述被貶官至江州的處境及心情，寫出「同是天涯淪落人，相逢何必曾相識。」的絕世名句。

頗懂音樂也重視音樂的白居易，不是在彈琵琶，而是寫樂音；讀者也不是聽音樂，而是讀音樂。

他將抽象的聲音描繪成具體而生動的畫面，需要很強的觀察力和想像力，才能讓我們彷如看到、聽到了整個琵琶的彈奏過程。「聽曲」一段從調音到樂止，關於聲音的描寫，展現了高超的藝術水準，具有驚人的感染力。

從「輕攏慢撚抹復挑」的基本指法，到大弦小弦的嘈嘈切切，有如「大珠小珠落玉盤」；接著用譬喻法形容各種曲音，然後聲音

時，生起了幽幽愁緒，暗暗的憾恨也隨之而出，雖然沒有聲音，卻比有聲音時更飽含情感。突然，樂音再次響起，就如銀瓶爆破開來，水漿迸出；又像鐵騎兵千軍萬馬的刀槍齊鳴，激烈廝殺。緊接著，樂曲在千軍萬馬的高潮處結束，只見她用弦撥子往琵琶中心用力一劃，四根琴弦便發出好像布疋被撕裂的一聲驚響——聽得所有船隻裡的人全靜悄悄的，只有明亮的秋月映照在江心上。

漸歇，「此時無聲勝有聲」。突然，琴音像銀瓶乍破，再似鐵騎奔騰，響亮雄壯。緊接著，在昂揚激情的高潮處以撕裂布疋的驚人樂音使整首曲子嘎然而止。這時，「東船西舫悄無言，唯見江心秋月白。」不但聽者震撼，連寬闊的江面也成了悄然一片。絕對的寂靜，讓緊繃的神經漸漸鬆弛下來，同時卻有一種如夢似幻的不真實感。

鳥的母愛，魚的悠哉

詩歌題材廣泛、形式多樣的白居易，也相當孝順。在母親去世後寫了古詩〈慈烏夜啼〉：「慈烏失其母，啞啞吐哀音。」藉慈烏這「鳥中之曾參」來懷念母親、歌頌母愛的偉大。而他還有兩首人道關懷詩，也是透過大自然的動物來告訴我們：生命是平等的。

第一首是〈觀游魚〉，

觀游魚　唐・白居易

繞池閒步看魚游，
正值兒童弄釣舟。
一種愛魚心各異，
我來施食爾垂鉤。

我到池邊散步時，看到魚兒自在優游。正巧遇見一群孩子，擺弄著釣船準備釣魚。同樣是愛魚的人，心態卻不一樣，我是觀魚、餵魚，你們卻垂下釣鉤，想釣起魚兒。

鳥

唐・白居易

誰道群生性命微，
一般骨肉一般皮。
勸君莫打枝頭鳥，
子在巢中望母歸。

他散步到池畔觀魚，見魚兒自在悠游，而一旁的孩子卻懸鉤垂釣，於是有感而發，就景寫情，表達了「愛魚」的不同行為。詩人餵魚，是護牠，盼牠長大；兒童釣魚，是享樂，無知害生。兩種心情對比強烈，而「心各異」也正說出了詩人的惆悵感傷。

全詩淺顯易懂，顯露白居易平淡閒適的生活，以及愛護生命的胸懷。在一千多年前，我們已看見了他護生愛物的新觀念。

《弟子規》說：「凡是人，皆須愛。」道理很簡單，只要是人，都應該要愛，沒有社會地位高低、聰明愚笨或富有貧窮的界限跟分別。這天地之間所有生物都應該是平等的，所有生命都值得尊重。白居易這首〈鳥〉，也提供如此的思維。

鳥類跟我們一樣，有皮、有骨肉，牠們也餵食孩子、保護孩子，並不比人類低賤。不要以為打下一隻鳥兒沒什麼，事實上有多少小小鳥，還在巢中等著母親回來餵牠們、疼惜牠們。

這是一首勸諭詩，為了讓人們對動物的生命有尊重之心，用了擬人法。小小鳥也像小孩子似的，在巢中伸長了脖子等候母親歸來。想到人類與動物有共通的情感，便會升起惻隱之心，也喚醒了我們

誰說動物的生命比人類卑賤呢？牠們和人一樣，有骨有肉，還有皮毛。勸您別打枝頭上的鳥，可知牠的孩子在巢中，期盼著母親歸來呀。

的慈悲。

白居易晚年隱居洛陽，吃齋信佛，常往來香山寺一帶，故又號香山居士，仍不忘人民生活的疾苦。

他於香山去世後，唐宣宗為他寫祭文〈弔白居易〉；他曾出任杭州太守，百姓則築了一道「白堤」懷念他；而過往洛陽龍門的行人，也都愛到他的墓前灑酒祭奠，使得墓前一小塊地，總是乾不了。

最美的，無法再遇見

白居易雖不得志，卻不是全然的寂寞孤獨，他的詩人好友與他相互唱和，必然是暢意開懷之事吧。元稹就是他的詩友，更是他的知己。「誠知此恨人人有，貧賤夫妻百事哀。」、「唯將終夜長開眼，報答平生未展眉。」、「曾經滄海難為水，除卻巫山不是雲。」這些詩句，都出自元稹的筆下。

他們兩人世稱「元白」，在中唐詩壇影響頗大，因為同為「新樂府運動」的倡導者，文學觀點和作品風格都相近。蘇軾頗仰慕白居易，說過「元輕白俗」這樣的評語，指的是白居易的詩通俗易懂；而元稹詩中情感表達比較輕佻，這其實都是中唐文學世俗化的表現。

元稹，字微之，曾做過宰相。他的作品豐富，除了許多社會詩、諷諭詩外，也寫了傳奇《會真記》（又名《鶯鶯傳》），成為元曲著名曲目《西廂記》的題材來源。據說男主角張生，極可能就是元稹自己。

元稹還有代表作〈遣悲懷〉多首，以及為因病去世的妻子韋蕙叢所寫的一系列悼亡詩，情感真摯。

〈離思〉便是最知名的一首，「曾經滄海難為水，除卻巫山不是雲。」這兩句擄獲了天下無數有情人的心，「只有你能令我如此摯愛，情有獨鍾，除了愛你，再不會有心動的時刻了。」千年以來，多少癡男怨女以這兩句表明心跡，訴盡衷腸，彷彿再找不到更精簡、更準確的抒情了。

這首詩意涵著元微之與亡妻深篤的愛情，即使後來他又再娶，而且納妾，對亡妻的深情仍舊不變。但是許多愛詩人卻不知道，這兩句並不是憑空生成的，而是從愛講道理的孟子與屈原的弟子宋玉的作品中演化而來。

《孟子・盡心》篇有這樣兩句話：「觀於海者難為水，遊於

離思　　唐・元稹

曾經滄海難為水，
除卻巫山不是雲。
取次花叢懶回顧，
半緣修道半緣君。

看過了大海的壯闊，其他地方的流水便不足為奇了；除了纏繞巫山的雲霧，其他地方的雲彩都不能使我動容了。就算經過奼紫嫣紅的花叢，我也懶得回頭望。有一半是因為修身養性，另一半則因為我一直深深思念著你。

聖人之門者難為言。」觀看過壯闊大海的人，很難被其他的水所吸引；曾經在聖人門下學習過的人，很難被其他的言論所折服。原本是板起臉來正經八百的尊儒宣言，卻被元稹輕巧的轉化成濃情蜜意了。

至於宋玉在〈高唐賦〉裡敘述楚王在巫山遇見神女，那是他生命中最旖旎幻奇的遇合，巫山之雲也是他見過最變化萬千的雲。神話一般的情境，寄託著永遠不能相逢的，對愛妻的悼念。

新穎的，花窗與風景

接下來是有匈奴血統、被白居易推崇為「詩豪」，詩風清新脫俗，與白居易齊名，並稱「劉白」的劉禹錫。

劉禹錫，字夢得，德宗時與柳宗元同榜登進士，晚年任太子賓客，故又稱劉賓客，是詩人、古文家、政治家和哲學家。

他關心國家、人民，力圖革新，具有不屈服的拚鬥精神，因而幾度被貶官。五十幾歲被貶為和州刺史時，寫了自勉、自期的「銘」〈陋室銘〉，名聞遐邇。

他大量創作古文，並寫詩諷刺時政，還有許多詠史懷古詩；也是在被貶期間，他接觸了民間風俗，完成一些民歌體的小詩，如〈竹枝詞〉十餘首，像一扇扇造型新穎的花窗，在唐詩中別開生面。

陋室銘（節錄） 唐・劉禹錫

山不在高，有仙則名，
水不在深，有龍則靈。
斯是陋室，惟吾德馨。
苔痕上階綠，草色入簾青。
談笑有鴻儒，往來無白丁。

山並不一定要很高峻，只要有神仙在山中，自然就會成為一座名山。

水也不一定要很深幽，只要有蛟龍潛藏，便會煥發著靈氣。雖然居住在這樣簡陋的斗室中，卻因為我高尚的品德，依然有許多人願意前來親近。青苔爬上了階梯，一片翠綠色，連同青草的顏色一同被送進簾子來。與我契合談笑的都是學識淵博的儒者，和我交往的，絕沒有庸俗而無修養的人。

劉禹錫熱愛生活，他的詩樸實清新，取材尋常，同時受到許多詩人與百姓的喜愛。如〈金陵五題〉的第二首〈烏衣巷〉，雖為懷古，但意在言外的是：時間面前，人人平等，不管你過得多麼富貴，時光流逝同樣無情。全詩運用了許多對比，以凸

烏衣巷

唐・劉禹錫

朱雀橋邊野草花，
烏衣巷口夕陽斜。
舊時王謝堂前燕，
飛入尋常百姓家。

朱雀橋曾經車水馬龍、往來繁忙，現在卻冷落荒涼，長滿了野草野花；烏衣巷曾經聚集名門望族，如今只見於夕照殘陽中，寂寥不堪。晉代王、謝兩家豪門堂前的燕子，早已飛入普通老百姓家的簷下築巢了。

顯今昔的反差，也用了充滿色彩的意象，閃耀著柔和的黃昏之光。

烏衣巷在今南京秦淮河岸，東晉宰相王導和謝安兩大家族都住此巷，因兩家子弟愛穿黑衣而得名，可說是名門士族的聚居地；而燕子這種禽鳥，也象徵貴族生活。

身在中唐的劉禹錫，遙想昔日的繁華昌盛，如今是荒涼不堪，斜倚殘陽。而世家望族的沒落，藉由舊時築巢於堂中的燕子飛入百姓家來呈現，「以小見大」，含蓄映襯，卻顯得技高一籌、匠心獨運。滄海桑田，世道如夢，此情此景，令詩人感慨無窮。

而〈竹枝詞〉這種民歌，在歌唱時會以笛、鼓伴奏，聲調輕快，同時翩翩起舞。這種體裁也被詩人借用到作品中，最有名的就是劉禹錫。

他任夔州刺史時，寫了十多首格調清新的〈竹枝詞〉，為民歌風格的七言絕句，使他獨步於元和年間，也是較早開始依曲調來填詞的作家。

劉禹錫〈竹枝詞〉中最知名的一首，是以女子口吻寫成的情詩。敘述一位少女喜歡上少年郎，卻不肯定對方是否也喜歡她，懷抱著

竹枝詞　二首其一

唐・劉禹錫

楊柳青青江水平，
聞郎江上踏歌聲。
東邊日出西邊雨，
道是無晴卻有晴。

春天楊柳青翠，江水冰融，上漲到與岸齊平。我忽然聽到心上人的歌聲，還踏著步子走來。他是不是也對我有意思？就像晴雨不定的天氣，西邊下雨，東邊卻放晴，看起來似乎是無晴（情），事實上應該還是有晴（情）的吧。

「既期待，又怕受傷害。」的心理，忐忑不安。而當心上人踏歌前來，她便藉著問天氣是有「晴」還是無「晴」？巧妙的套問：你對我是有「情」還是無「情」呢？

晴與情，乃修辭法的諧音雙關。詩句將難以捉摸的情感，含蓄的表達了出來，少女追求愛情與幸福的心理狀態，也就躍然紙上了。

苦吟詩人第一號

還記得一再落榜、一再書寫下第詩的孟郊嗎？他四十六歲才考上科舉，以〈登科後〉記錄了得意狂喜：「春風得意馬蹄疾，一日看盡長安花。」但直到五十歲才得到一個小小的官職，從沒有高官厚祿。

《唐才子傳》說他「拙於生事（生計），一貧徹骨」，一生窮困到了骨子裡。去世時，連買棺材的錢都沒有，靠韓愈等友人解囊相助才得以下葬。

儘管如此，他為人耿介，不肯隨波逐流，也寫了許多詩描繪農民的痛苦、婦女的勞累、貴族的驕奢，是很受韓愈推崇的詩人。

孟郊對文學很有見解，與韓愈、賈島等人發揚杜甫「語不驚人

遊子吟　唐・孟郊

慈母手中線，遊子身上衣。
臨行密密縫，意恐遲遲歸。
誰言寸草心，報得三春暉？

慈母在孩子即將遠行時，總是忍住分離的悲傷，一針一線為孩子縫製衣裳。縫得很扎實、很緊密，因為怕他受寒，又擔心他不能早日回家，於是終日惆悵著。有誰能夠說寸草般微小的子女，報答得了像春天陽光那麼偉大的母恩呢？

死不休」的精神，甚至主張立奇驚俗，要脫離平庸，是「奇險派」的代表。

孟郊對作詩相當狂熱，為避免一般化，往往苦思字句，常常陷入鑽牛角尖的苦惱，被稱為「苦吟詩人」；也如被詩困住，因此和情況類似的賈島同被稱為「詩囚」。孟郊曾寫過這樣兩句詩：「出門即有礙，誰謂天地寬？」人生道途與作詩的歷程，對他來說都很挫折艱辛。

孟郊的苦吟，有時也為追求奇險，蘇軾形容他「詩從肺腑出，出輒愁肺腑。」；但他也有平易近人的詩，如流芳萬世、每到母親節「點歌率」最為熱烈的〈遊子吟〉，真的是從肺腑之中流出的真情至性。

〈遊子吟〉的知名度與「人氣」都超高，應該是孤寒坎坷的孟郊意想不到的。它在形式上是一首古詩，藉遊子感恩的心來表達母愛的偉大。

這樣溫暖的題材，他也要寫得與眾不同。居然兩句一對，全詩對仗，可以想像他字斟句酌、絞盡腦汁的堅持與執著。苦吟詩人果

然名不虛傳呀！

詩中「寸草心」是渺小的兒女，反哺之心，「三春暉」是偉大的母親，愛的籠罩，母親對子女隨時隨地的關切和無微不至的照顧，透過短短六句話，具體的表達出來，那深恩，真的難以報答。

推敲十年磨一劍

年齡比孟郊小了近三十歲的賈島，是「苦吟詩人」及「詩囚」第二號，同為奇險派人士。蘇軾稱他倆「郊寒島瘦」，但說的不是外貌，而是他們的文字多半令人感覺冷峭、單薄、枯瘦。在思想內容、創作道路上，賈島與孟郊卻有頗多不同。

因為早年生活太窮苦了，賈島當過和尚，後來遇見了賞識他的韓愈，才還俗考上進士。他曾被貶官到長江，時人也稱他「賈長江」。他用作詩代替生活，安於寂寞幽隱，「一日不作詩，心源如廢井。」亦常因煉字鑄句而苦思，「二句三年得，一吟雙淚流。」三年才寫得兩個好句子，就令他高興得流淚。

這位奇險派門人愛寫螢火、蟻穴、蛇與怪禽等等，過於晦澀怪異的詩；但也寫過〈劍客〉（一說〈述劍〉）：「十年磨一劍，霜刃未曾試。今日把示君，誰有不平事？」這種豪氣的詩，雖然抒發懷才不遇的苦悶，但若有施展抱負的機會，他也是義不容辭的。

而「松下問童子，言師採藥去。只在此山中，雲深不知處。」這首小朋友都琅琅上口的〈尋隱者不遇〉，可也是出自奇僻清冷的賈島之手。

這首詩雖然說的是「不遇」，卻很巧妙的把隱者隱藏在詩中的每一句，像是首句的「松」字；第二句的「藥」字；第三句的「山」字與第四句的「雲」字。這四種意象便是隱者的生活環境、活動狀況，心態、精神。短短二十個字，反覆玩味，真是意趣無窮。

除此之外，據說〈題李凝幽居〉一詩，促成了他和韓愈的相識，並創造了沿用至今的新名詞。

那時賈島夜晚去拜訪名叫李凝

題李凝幽居　唐・賈島

閒居少鄰並，草徑入荒園。
鳥宿池邊樹，僧敲月下門。
過橋分野色，移石動雲根。
暫去還來此，幽期不負言。

你隱居在鄰居稀少的幽靜地方，只有一條雜草叢生的小路通向荒蕪的庭園。鳥兒安靜的棲息在池邊的樹上，月夜造訪，僧人我輕敲著柴門。走過小橋，原野迷人的景致映入眼簾。明亮的月光照射下，我踏著石頭走動，山石也好像在移動呢！暫時要離開了，但不久我還會再來，絕不辜負和你一起隱居的期約。

的朋友，友人住的地方非常幽靜，詩人見了立刻構思新詩，開始寫景如畫了。詩中充滿原野景致，「移石」是踏石，「雲根」指大石頭。

回程的路上，他在「鳥宿池邊樹，僧敲月下門。」句中，始終無法決定用「推」還是「敲」字，便又開始煉字鑄句、反覆誦讀了。因精神太過集中，沒注意到鳴鑼迎面而來的官轎，不知避讓，於是被逮至轎前聽候發落。

原來這是大官韓愈的轎子。韓愈問明緣由，為詩人嚴謹的態度所感動，便也幫著思考起來，提出見解，認為用「敲」字比較好。敲，是一個動作，會發出聲音，更能顯出周遭的寂靜來，藝術效果的確更強。賈島如獲至寶，深深伏首下拜，尊稱韓愈為「一字師」，後來也拜在韓愈門下。

賈島應該沒想到，這段「推敲」因緣竟流傳了一千三百年，被用於比喻寫文章或做事，經過反覆的思考、琢磨。兩位文學家的相遇，也成了一段佳話。

天若有情天亦老

近代人在形容情愛折磨人或尋覓不到伴侶時，總是喜歡吟一句：「天若有情天亦老」。殊不知這是出自唐代天才詩人李賀的〈金銅仙人辭漢歌〉中的句子：「衰蘭送客咸陽道，天若有情天亦老。」

這首詩寫漢武帝在長安宮殿前造了二十丈高的金銅仙人，漢亡後，三國曹操的孫子魏明帝曹叡命人運取金銅仙人，東遷到許都。據說金銅仙人被運上車前，居然流下了眼淚，彷彿在哀傷一個王朝的滅亡。

這是李賀辭官離京前往洛陽時寫的，時為中唐後期，即將進入晚唐，國勢衰弱，他以王孫身分作了此詩，藉金銅仙人被迫遷離故土的哀傷，託古諷今，以表達深沉的憤慨。

唐代詩人著名的稱號

詩仙：李白
詩聖、詩史：杜甫
詩佛：王維
詩家天子：王昌齡
詩魔：白居易
詩豪：劉禹錫
詩囚：孟郊、賈島
詩鬼：李賀

銅人流下眼淚，凋萎的蘭花看來也很惆悵，這些擬人的情感，精采絕倫，可見詩人想像力的豐富。而最為聞名的是「天若有情天亦老」一句，意思是說：蒼天啊！你若是有感情的話，也會感到難過，因而變老啊！

然而後人喜歡將「天若有情天亦老」用在愛情上，還當作上聯，接了很多自創的下聯。宋朝石延年吟出「月如無恨月常圓」，被公認對得最好。

天才暨鬼才詩人李賀，字長吉，是唐朝皇室後裔，但家道沒落，相當貧困，且因父親名叫「晉肅」，和「進士」音近，妒忌他才華的人便以此為理由，要他避諱，阻止他參加科舉考試。韓愈很生氣，為他抱不平：「父名『晉肅』，兒子不得舉進士；若父名『仁』，兒子就不能當人了？」

蘇小小墓

唐・李賀

幽蘭露，如啼眼。
無物結同心，
煙花不堪剪。
草如茵，松如蓋。
風為裳，水為珮。
油壁車，夕相待。
冷翠燭，勞光彩。
西陵下，風吹雨。

蘭草上晶瑩的露水，是她含著淚的眼睛。世間所謂堅貞的愛情都不能信，無人可與結同心，即使想剪下燦爛的春花編織成結為信物，春花也如此縹緲不可及。看啊，四周

七歲能寫詩文而名動京師，少年時又才華出眾的李賀，縱有「雄雞一聲天下白」的壯志，最後只當了一個職掌祭祀的九品小官及私人幕僚，落魄不得志。

他從小體弱多病，個性苦鬱敏銳，藥囊不離身，卻有一身傲骨；常騎著一匹瘦馬四處找靈感，想到什麼好句子就寫下來放進錦袋中，然後不停吟讀，回家再整理成詩。

他的母親常常打開錦囊看著他寫下的那些句子，擔憂又心疼的說：「是兒要當嘔出心乃已爾。」他後來果然心力交瘁而死，死的時候只有二十七歲。

那時大家都搶著讀李賀新寫成的詩，因為他創造的奇特想像實在令人為之意亂神迷。彷如偶像般的他，雖然生命短暫，可是藝術成就非凡，留下了兩百首好詩。

李賀愛用比喻奇特、色彩豔麗的字詞，加上豐富新穎的想像力，往往造就詩中朦朧淒美的意境，具浪漫主義精神，更有獨創風格，為詩歌開闢了新天地。

也因他題材多樣的詩作中，有部分描述神仙鬼怪，呈現「鬼氣

森森」的感覺，故又有「詩鬼」之稱。

例如古體詩〈蘇小小墓〉。蘇小小是南北朝錢塘著名歌妓，總乘著一輛油壁車，且勇於追求愛情。她的墓在杭州西湖西泠橋邊，李賀到她墓前憑弔，感歎她愛情的不幸遭遇，便作了這首很有創造

綠草如茵，松蔭如蓋，春風中，她衣袖飛揚，環珮流水般輕響，乘坐的油壁車，也依然在暮色中等待。然而，閃爍的燐火為她照亮黑暗也是徒勞，只留一縷芳魂在西陵的松柏下，淒風持續吹著苦雨。

苦晝短

唐・李賀

飛光飛光，
勸爾一杯酒。
吾不識青天高，
黃地厚。
惟見月寒日暖，
來煎人壽。
食熊則肥，食蛙則瘦。
神君何在？太一安有？
天東有若木，
下置銜燭龍。
吾將斬龍足，
嚼龍肉，
使之朝不得回，
夜不得伏。
自然老者不死，
少者不哭。
何為服黃金，

性的詩。

乍看相當夢幻浪漫，全篇無一「鬼」字，卻是他的寫鬼名作。全詩情景詭麗，運用示現法，巧妙譬喻，時空交錯，營造出蘇小小的形象，好像在墓前現身一樣，空靈縹緲，氣氛及意象陰森幽冷。連有光無焰的燐火（鬼火），都比喻為「冷翠燭」，淒楚而又絕美動人。

除了「鬼」之外，「死」、「老」等字更是大量存在於這位年輕人的創作中，可見其風格與其他詩人迥然不同。

時至現在，我們每每在感歎時間不夠用、人生苦短之時，便會想起李賀的歌行體詩〈苦晝短〉，不免要吟起：「飛光飛光，勸爾一杯酒。吾不識青天高，黃地厚。惟見月寒日暖，來煎人壽。」看詩人將無形且無情的時光擬人化了，而且用呼告方式「飛光飛光」的疊稱，更令人感到時光的飛逝與難以掌握啊。

其實這首〈苦晝短〉，是針對皇帝迷信求仙的諷諭詩，卻以獨特的藝術方式傳達。

天生體弱，又常嘔心瀝血於詩句的李賀，對於晝短是最有感觸

吞白玉？
誰是任公子，
雲中騎碧驢？
劉徹茂陵多滯骨，
嬴政梓棺費鮑魚。

的。在本詩中，他從慨歎生命短促，殷勤向時光勸酒，希望它慢下步履開始，到以神仙、傳說來設想解除「晝短」之苦的方法；再到最後四句的結論，強調求仙不是延長壽命的辦法，因為歷史上意圖長生不死而求仙的帝王，最終也都死了。公然和當時唐憲宗的「好

時光啊！如飛的時光啊！停一下腳步，喝杯酒吧！我不知道天有多高、地有多厚，只真實看見人的生命在夜寒日暖的溫度變化中消損，年華不停流逝。富人吃熊掌，窮人吃蛙，一個人的胖瘦及壽命長短，都跟他的飲食有關。有生必有死，非常自然，所以世上根本就沒有漢武帝供奉的神君、太一那種保佑長生不老的神仙哪！天的東邊有株名叫若木的大樹，其下有條銜著燭火的神龍，能把黑夜照亮。如果我將燭龍殺了，吃牠的肉，使牠無法更替晝夜，那麼老者就不會死，少者也不會哭，就解除生死之憂了，何必服金、服玉，或辛苦煉造、

神仙，求方士」唱反調，對其荒唐行徑導致上行下效的風氣，進行了嚴厲的諷刺與批判，議論性極強。

人都有一死，這是自然不變的準則、牢不可破的真理，與其汲汲於長生不死，不如把握有限光陰，為生命留下一番意義吧！李賀英年早逝，作品卻流芳千古，在文學史上有很大影響力，他的藝術成就展現了「不死」的生命意義。

中唐的詩人當然知道，這不是最好的時代；無能的君王，昏庸的朝廷，忠誠、良知、正直這一類的價值都在崩毀中。但，這也是屬於他們的時代，他們依然熱烈的歌詠，熱切的改革，熱情的擁抱創作與生命。

最耀眼的盛唐一去不回了，中唐的詩壇卻仍保持著躍動與溫度，彷彿這樣才能將一個朝代的脈動延續下去，永不止息。

服用不死不老的仙丹呢？傳聞中騎驢升天的仙人任公子，那到底是誰？漢武帝劉徹茂陵的寢墓，遺留下一堆凡骨，根本沒有成仙這回事；而秦始皇派人入海求仙、四處尋不死之藥，死後耗費大量的鮑魚也難掩屍臭，還不是枉費心機！

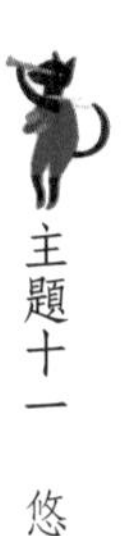

座右銘：野火燒不盡，春風吹又生。

星星之火微弱，卻足以燎原；看似脆弱的小草，怎麼也燒不掉。人生在世，都會經歷挫敗。而挫敗之後，只要心存善根，並堅毅、努力，仍然可以展現不屈不撓的生命力，捍衛自己，也奉獻社會。

主題十一　悠長勻稱的脈動——中唐詩

創作模式啟動

模式一、〈烏衣巷〉的情景烘托

朱雀橋邊既然草長花開，應是春天來臨，但劉禹錫加個「野」字，荒涼、蕭條之感便油然而生了。

另外，他寫烏衣巷籠罩在斜陽殘照下，而不是選在豔陽高照、萬物蓬勃的早晨去形容它，所以日薄西山、淒慘寂寥的感覺也就上來了。

這就是我們針對主題寫作時，必須注意的情與景的烘托。把握了這一點，也就掌控了自己想營造的文章意境與氛圍。

★模式二、「動作」是全詩的亮點

創作的時候，很多人習慣性的運用許多形容詞，卻發覺這些形容並不能達到生動的效果，也無法讓讀者感同身受。

而賈島的「僧『敲』月下門」，這個敲的動作，正是全詩的亮點，也是我們學習的範例。又像是李賀的「來『煎』人壽」，「『斬』龍足，『嚼』龍肉」，都用了具體的動作來誇飾出時間的感受。這樣的語句很新鮮，是創作時可以嘗試的好方法。

主題十二

樂遊園上的餘暉——晚唐詩

亂世的螃蟹與珊瑚

中唐之後到唐朝滅亡的七、八十年，一般稱為晚唐。這時期花朵已經枯黃、乾枯，想綻放卻力不從心了。大家也都明白，瑰麗春天隨風逝去，而且徹徹底底遠離，不會再來了。

晚唐延續之前的國家與社會的問題，並且有過之而無不及。皇帝成了宦官手中的傀儡，藩鎮割據益發劇烈，人民在重重剝削、壓迫下，終於揭竿起義，爆發了「黃巢之亂」。

而政治的衰微、腐敗，文學創作往往有所反映。此時的部分詩歌沉迷於華豔聲色及格律技巧，向形式主義發展；有的又展露了關心人民、反映社會的光芒，卻顯得消極許多。

而有一批先知先覺的詩人，感受到詩的時代將要結束，於是尋

詠蟹

唐．皮日休

未遊滄海早知名，
有骨還從肉上生。
莫道無心畏雷電，
海龍王處也橫行。

我還沒到大海，就威名遠播了。我的肉上，長著硬硬的甲殼，十分強壯。別說我沒有心腸，所以不怕雷電。其實我渾身是膽，就算在海龍王面前也是無所畏懼，橫著走的啊。

找並嘗試著新的形式與音樂，像是並稱「溫韋」的溫庭筠和韋莊，大量的創作「詞」，開啟了後代的填詞風氣。彷彿開出了不同世界的花朵，然而卻一樣有濃厚的感傷氣氛，反射出那個時代共同的煩憂和空虛。

這樣的亂世裡，仍然有許多知名的花朵，例如說過「牡丹」是「獨立人間第一香」的皮日休。

皮日休，字襲美，自號閒氣布衣、醉吟先生。他出身貧寒，和陸龜蒙為詩友，互相唱和，兩相齊名，世稱「皮陸」。

皮日休當過官，也曾被劫從軍，參與黃巢的農民起義，還受任翰林學士，能力相當好。他在當代是個性相當特殊的人，喜歡嘲謔、開玩笑，卻又有些傲慢，曾寫過〈詠蟹〉自述強悍的性格。

螃蟹有許多特點：長著硬殼，無腸，還橫著走路，形象相當鮮明。加上無懼雷電和龍王，詩人便用以寄託自己響亮的名氣與天不怕地不怕的傲骨，且敢於衝撞體制、不畏強權，以及硬得像石頭的品格。

襲美先生從螃蟹逗趣的外形刻畫到叛逆的內在，成功的借物抒

春夕酒醒　唐・皮日休

四弦才罷醉蠻奴，
醽醁餘香在翠爐。
夜半醒來紅蠟短，
一枝寒淚作珊瑚。

宴會中弦樂昂揚，連歌姬和奴僕都醉倒了。主人暢飲醉極，半夜醒轉，發現樂止人散，但翠爐中的美酒餘香還在。那照明用的紅燭已經燒得短短的，孤零零的一枝，殘蠟如淚，不停流下，凝結成淒美多姿的珊瑚，正似我的人生，寒涼卻又美麗。

懷，讓人逐步了解他蘊含的思想與旨意，讀來十分有趣。

皮日休的性格剽悍且憤世嫉俗，愛喝酒，作品多半流露對現實的不滿，憤慨而無奈，〈春夕酒醒〉便是他的詩酒名作之一。

詩人醉醺醺、朦朧朧的在春天夜半醒來，發現聲停人散，紅燭漸短，只能獨自品嘗狂歡後的空虛。於是想起好友，寫了〈春夕酒醒〉寄給陸龜蒙。

詩中的蠻奴，指的是來自南方的歌姬、奴僕；醽醁，是古代的美酒名。他不寫自己醉了，卻寫歌姬都喝醉了，於是我們感染了熱烈的氣氛。酒醒之後，翠爐的醽醁酒氣仍然餘香撲鼻，畫面卻是孤獨寒涼的。想到自己半生已過卻壯志未酬，不正如這淒楚的紅色殘蠟嗎？在詩人眼中的紅蠟燭，此刻竟散發出珊瑚般的美麗色澤，令人留戀喜愛。

詩中運用了許多的感官描寫，「翠爐」、「紅蠟」、「珊瑚」的色彩視覺，「四弦」的聽覺，「醽醁」餘香的嗅覺，相當豐富，卻不免有些辭溢乎情，形式之美超越了內在情感，確實是走到了詩的世紀末。

江湖散人茶博士

陸龜蒙，字魯望，自號江湖散人、甫里先生。

他不愧為皮日休的詩酒死黨，接到詩後，便回了一首題為〈和襲美春夕酒醒〉的詩：「幾年無事傍江湖，醉倒黃公舊酒壚，覺後不知明月上，滿身花影倩人扶。」也寫夜半酒醒所見的情景，表現了酒醉於月下花叢的閒適、瀟灑之情，並想仿效西晉「竹林七賢」那般放飲。因為對腐敗的朝廷不滿與失望，只能寄情於飲酒作樂啊。

「皮陸」兩人時常一起喝酒吟詩，相互唱和，而遊山玩水、弈棋、釣魚也少不了。此外，出身官宦世家的陸龜蒙，是文學家也是農學家，隱居在江南的水鄉甫里，辛勤自耕，不貪圖物質享受。他所做的研究，在農業發展史上有著重要的地位。

白蓮

唐・陸龜蒙

素葩多蒙別豔欺，
此花真合在瑤池。
無情有恨何人覺，
月曉風清欲墮時。

《唐才子傳》描述他是一個自小聰穎、知識淵博、品味高致及有豐富幽默感的人。他家中藏書萬卷，不喜歡和俗人交往，也拒絕朝廷以高士名義徵召他入朝為官，而以隱士自許。除了好飲酒，他更愛飲茶。當時的茶葉名家陸羽和皎然，分別著有《茶經》和《茶訣》，而陸龜蒙不但開設茶園，還寫了《茶書》，可惜失傳了。

他的〈奉和襲美茶具十詠・煮茶〉寫道：「閒來松間坐，看煮松上雪。時於浪花裡，併下藍英末。」冬雪中，他悠閒的坐在松樹環繞之間，煮著松枝上蒐集而來的白雪，欣賞雪融為水又沸騰成為浪花的樣子，再放入藍色花粉般的茶末。這位茶博士的生活真是唯美極了！

他的詩很多是寫景詠物、託古諷今的，如〈白蓮〉一詩，寫出白蓮花的精神，也另有一番寓意。

一般人比較喜愛色彩鮮豔奪目的紅蓮，容易忽略洗盡鉛華的白蓮，但白蓮的素雅，在陸龜蒙眼中才是絕美，紅蓮不過是「別豔」。

此詩寄託著潔身自好的人，在黑暗腐敗社會裡的孤芳自賞，儘管被冷落、排擠、埋沒，也要像清麗的白蓮花，高雅獨立，自開自謝。意味著他這朵白蓮，在唐末動盪年代裡，是寂寞的；是一種孤獨的存在，卻展現不凡的格調。

素雅的白蓮，被豔麗紅荷搶盡了風頭，其實這冰清玉潔的白蓮花，真應該生長在西王母的瑤池仙境裡，而不該在庸俗的人間。純潔高雅的白蓮，看似無情，心中卻有著遺憾與幽怨，只是無人能夠了解。在即將破曉的月色中，在清涼怡人的風裡，她自開自落，永遠美麗無瑕。

新嫁娘遇見考生

以物喻情、以況擬意的好手，還有中唐末、晚唐初期的朱慶餘。他的〈近試上張水部〉一詩，便隱喻細膩，令人讚佩。

張水部就是當時任水部員外郎，為了委婉拒絕「挖角」而寫出「還君明珠雙淚垂，恨不相逢未嫁時。」那位著名詩人：張籍。

唐代科舉考試並不彌封試卷，考官可以看見考生的姓名，因此考生都得在考前讓主考官對自己印象深刻，於是，他們四處向當時有文名或地位的人獻上作品。

朱慶餘便是這樣，在進士考期將近時，挑了一些作品請張籍賜教。然而呈上作品幾天之後，卻沒有回音。朱慶餘心裡著急，想去打聽又怕太冒昧，於是寫了這首詩奉上。

近試上張水部　唐．朱慶餘

洞房昨夜停紅燭，
待曉堂前拜舅姑。
妝罷低聲問夫婿，
畫眉深淺入時無？

昨夜新房裡紅燭通宵點亮著，就是要等待天亮時到堂前去拜見公婆。我打扮好、化妝完成後，還是不禁悄聲問丈夫：「我的穿著打扮還好嗎？畫的眉形合宜嗎？時髦嗎？」

此詩又名〈閨意獻張水部〉，是內心很曲折的作品，怕把話問得太明白了，令人反感；又怕沒把話說明白，無法達到想要的目的。所以表面寫新婚女子剛嫁入新環境，第二天要拜見公婆，從黑夜到清晨都十分緊張的心情，其實是將考官比做了公婆；也反映出臨考前，考生對自己文章與前途的期待和不安。他以新嫁娘來自況，那低聲一問，卻天下聞名的：「畫眉深淺入時無？」其實是問考官：「我的文章適宜嗎？合乎要求嗎？」

後來張籍回覆他一首〈酬朱慶餘〉：「越女新妝出鏡心，自知明豔更沉吟，齊紈未足時人貴，一曲菱歌敵萬金。」將朱慶餘形容為一位相貌既美、又有好歌喉的採菱姑娘，必然會出類拔萃，暗示他不必擔心。朱慶餘因此名動當時，後來也受到賞識他的張籍的提拔。

「畫眉深淺入時無」一句，刻畫入微，不僅當代知名，連後代都喜歡援用，可謂流傳千古。

風流才子，揚州一夢

這一時期的代表詩人還有杜牧、李商隱、溫庭筠、韋莊，他們也是晚唐唯美派詩人。杜牧和李商隱對詩壇的貢獻尤其大，兩人並稱為「小李杜」。

杜牧（西元八〇三～八五二年），字牧之，號樊川，先祖杜預是晉朝大將軍，祖父杜佑是唐代三朝宰

贈別　二首其一　　唐・杜牧

娉娉嫋嫋十三餘，
豆蔻梢頭二月初。

春風十里揚州路，
捲上珠簾總不如。

她正值姿態輕盈美好的十三年華，有如二月初含苞待放的豆蔻花。我看遍了春天揚州十里長街的佳麗，她們妝容明麗，捲起珠簾，卻沒有一個比得上她。

贈別　二首其二　　唐．杜牧

多情卻似總無情，
唯覺尊前笑不成。
蠟燭有心還惜別，
替人垂淚到天明。

相，家聲顯赫。但父親早逝，他生性又倜儻瀟灑、剛直、不善逢迎，所以仕途並不順遂。

受到排擠後，他應淮南節度使牛僧孺之聘，到揚州為節度使掌書記，著名的〈遣懷〉詩：「落魄江湖載酒行，楚腰纖細掌中輕，十年一覺揚州夢，贏得青樓薄倖名。」道出他在繁華揚州放浪形骸的享樂生活。他的詩作時常提到揚州，使得杜牧之於揚州，形成了一種必然的聯結，稱他為揚州的代言人也未嘗不可。

而〈贈別〉二首，則是他因為調職，要離開歌舞昇平的揚州，與擔任幕僚時的生活中結識的歌女分別時所作。因一貫的清新細膩、高華綺麗之風，使得這兩首詩十分著名。

第一首描寫的歌女必然十分年輕，全詩瀰漫著春天的氣息。綿延十里長的揚州城道上，許多美麗的女子都捲起珠簾，爭奇鬥豔，希望能得到讚賞。杜牧卻用一種專業選美評審的姿態，做出了最後的評定：「比不上啊！她們統統都比不上妳呀。」

牧之這麼會誇讚人，到了分別時還說出這樣的甜言蜜語，確實很具威力。那年輕美麗的歌妓，怎麼能忘記他呢？怪不得他在揚州

多情如我們，在分離時刻，無語得倒像無情的人一樣。餞別的筵席上，我拿著酒杯，怎麼也笑不出來。而席上的蠟燭就像我的心，感染了惜別離愁，不停落下淚來，就這麼為我們哭泣到天明。

泊秦淮　　唐・杜牧

煙籠寒水月籠沙，
夜泊秦淮近酒家。
商女不知亡國恨，
隔江猶唱後庭花。

朦朧的煙霧籠罩著寒冷的江面，月色也籠罩著沙洲。夜晚，我的船停泊

贏得「薄倖名」了。

第二首則寫充滿情感的離別場面，「多情卻似總無情」是千年公認的神來之筆。情到濃時，濃到無法表達，只能相顧無語，倒像無情一般，只有性情中人方能懂得。而用蠟燭擬人，以物喻情，「蠟」等於「淚」，情感描摹得真切動人，實在是寫情高手。

很難想像情書寫得這麼好，情話說得這麼甜的人，還是文學史上很重要的詠史大家呢。這就是杜牧的複雜性，不僅能論大事，也能細膩精緻。

他出生於嚴重內憂外患的晚唐，關心國家，胸懷抱負，二十三歲就寫了著名的〈阿房宮賦〉諷刺時事；〈過華清宮絕句〉也借騎兵千里、急送荔枝給楊貴妃享用的歷史，諷刺皇室的驕奢。

而眾多詠史詩中，〈泊秦淮〉的背景是六朝繁華的都城金陵，詩人在此以景抒懷，除了描寫秦淮河夜色，更藉賣唱歌女的歌聲，慨歎如今當權者昏庸奢靡，也諷刺達官貴人在國勢沉淪時仍癡迷於亡國之音。整個社會都缺乏積極向上的心態，眼看就要重蹈六朝滅絕的覆轍了。

在靠近酒家的秦淮河畔。歌女不了解亡國之恨，還在對岸唱著南朝後主所作的靡靡之音：〈玉樹後庭花〉。

我們在詩裡，見到煙、水、月、沙，彷彿還聽到那軟香攝魂的靡靡之音，融合成一幅淡柔卻淒清的景色，畫面鮮明，完全表達了詩人哀愁的心境。

詩中有一首關鍵樂曲〈後庭花〉，又稱為〈玉樹後庭花〉，是南朝陳後主所作，曲調非常柔靡哀婉。這首歌在陳後主的筵席上演唱，不久之後，陳國便亡國了。因此，人們便將這首歌曲視為亡國之音。

商女指的是歌妓。對歌妓來說，改朝換代並不是什麼重要的事，她們是比較沒有國家民族意識的人。只要是賓客喜歡的歌曲，她們都能唱，也都願意唱。因此，商女唱著〈後庭花〉，其實是賓客喜歡聽這樣的靡靡之音，這才是杜牧真正的感慨與憂慮。

像一隻蠶那樣相思

「夕陽無限好，只是近黃昏。」大家琅琅上口的這兩句詩，出自晚唐李商隱的〈登樂遊原〉。

李商隱，字義山，號玉谿生。生於衰落貴族之家，因貧窮而發憤苦讀，十六歲便以文才聲名大噪。

李商隱的詩作流傳後世的有六百多首，成就較高的是抒情詩，主要也是自抒人生際遇之作。他的詩風典雅華

夜雨寄北

唐・李商隱

君問歸期未有期，
巴山夜雨漲秋池。
何當共剪西窗燭，
卻話巴山夜雨時。

你問我何時能夠回家，但我也無法確實掌握歸期。今夜的巴山正下著大雨，秋雨使得池水高漲。我什麼時候才能在西窗下和你徹夜長談，一起剪著燭芯，回顧當年的此刻，我在巴山雨夜收到家書時的心情呢？

麗，又喜歡運用典故、象徵和暗示，有時候讓人難以捉摸，充滿隱晦曖昧。但是許多人都很喜愛的〈夜雨寄北〉則相當不同，有一種明暢樸素的情感。

那時他離開長安，開始天涯漂泊，在四川旅途中，收到妻子從長安捎來的家書。這二十八字小詩，是他回覆給妻子的信，紙短情長，表達了輾轉反覆的思鄉思人感懷。

「不避重複」是這首詩的特色；「巴山夜雨」重複出現兩次，顯現在四川的這個夜晚是很重要的。這是他體會著妻子思念他的時刻，也是他對妻子最為想念的時刻，他的思念就像是被雨水漲滿的池塘。

他的思緒甚至跨越了將來他們重逢的那個夜晚，必然是秉燭夜談，喋喋不休，有太多說不完的話了。而在巴山下著雨的這個夜晚，也將成為他們的話題。

全詩的時間、空間倒錯，來回往復，成就了不朽的傑作，而成語「剪燭西窗」也是由此而來。

在政治上，李商隱遭遇了「牛李黨爭」，處於牛僧孺、李德裕兩大集團的夾縫中，左右為難，有苦說不出。於是仕途顛沛，最後便在政治失利、愛妻去世的雙重打擊下，清寒、鬱悶的過了一生。

和杜牧一樣，李商隱也很會寫情，且文字纖巧秀麗，其中最獨具一格、引人注目的便是「無題」詩，大都以愛情、相思為題材。相傳他年輕時曾在玉陽山一帶修道，卻與女道士相戀，因不被禮教容許而沒有結果。

這種禁忌的戀愛帶給詩人太多刺激和靈感，於是他發抒為許多「無題」詩，內容夢幻迷離，隱晦難解，又精於用典、用暗示，往往造成曲折迂迴的美感，卻也讓愛詩人因難以解讀而覺苦惱。

如這首〈無題〉，象徵著有情人不能相會、卻又難以割捨的情感，道盡了無力改變現狀的感傷和無奈。有人則說李商隱是意喻個人力量的薄弱，無法扭轉國家現況。

到底是與女道士的戀情或政治隱喻呢？眾說紛紜，莫衷一是，而這正是李商隱「無題詩」的特色。

「東風無力百花殘」說盡了無奈，而既然改變不了事實，只能

無題

唐・李商隱

相見時難別亦難，
東風無力百花殘。
春蠶到死絲方盡，
蠟炬成灰淚始乾。
曉鏡但愁雲鬢改，
夜吟應覺月光寒。
蓬萊此去無多路，
青鳥殷勤為探看。

　要相見已經很難了，誰知離別時更難割捨。春風無力的吹拂著，百花也只能凋零飄落。我對你的思念長久，就像春蠶直到死了才能吐完一生的絲；我的淚也像蠟炬，燒成灰了才有流乾的一天。白天照鏡子的時候，只愁髮絲漸漸變白，但如果你看得到我，一定會發現我每晚在淒寒的月光下痛苦吟著詩，無法入睡。你的住處與我相隔不遠，我們卻無法見面，只能不辭辛勞的寫信給你，期盼青鳥信差為我們傳遞相思了。

以「春蠶到死絲方盡，蠟炬成灰淚始乾。」來表白思念的長久不斷絕，後世更常以這兩句代替堅貞不移的愛情，最為人所傳誦。

　詩中「蓬山」本指海上仙山，這裡指對方的住處；「青鳥」本是西王母的使者，此處借指信差。再怎麼痛苦、傷懷，也要盡最大的力氣維繫得之不易的情感，誰讀了能夠不動容？

　如此清麗婉約的語言，曲折的意境，使李商隱在政治上雖無足輕重，卻無疑是晚唐詩壇中燦爛亮眼的大明星。

如煙消逝的惘然

無題　　唐・李商隱

昨夜星辰昨夜風，
畫樓西畔桂堂東。
身無彩鳳雙飛翼，
心有靈犀一點通。
隔座送鉤春酒暖，
分曹射覆蠟燈紅。
嗟余聽鼓應官去，
走馬蘭台類轉蓬。

而另一首〈無題〉，正是懷念他的人生中極珍貴而美好的一段記憶，也表達了對歡樂時光的不捨。

據說這是他參加同事慶賀升官的「派對」後所引發的感慨。因為升遷總輪不到他，但又不能直說，只好寄託於愛情的描寫。

頭兩句開門見山的點出聚會的時間和地點，沒寫發生什麼事，卻能透過三、四句的懷念得知詩人遇見了彼此契合的知音。而現今兩人受環境阻隔，雖不能如彩鳳般比翼雙飛，幸好心靈可以相通。

五、六句則帶領讀者到宴會上的歡樂場面，更襯托出現在的分隔兩地是多麼令人惆悵。最後一聯寫聚會進行到尾聲，他非常不想離開，但晨鼓催促，必須赴朝上班，去祕書省面對寂寞乏味的校書

> 昨夜是個星光燦爛、涼風習習的夜晚，我們的宴席就設在畫樓西畔、桂堂的東邊。此刻我們雖不能像彩鳳般雙翼齊飛；幸好內心如靈犀，情感可以相通。回想酒筵上，隔座對飲，春酒暖心，大家玩著猜鉤的遊戲；還在燭光泛紅之下，分組行酒令，一直到清晨。可歎我聽到應該上朝點卯的鼓聲了，只好策馬趕到蘭台辦公的地方去，我感歎我的人生，如隨風飛揚的蓬草那般飄零啊！

時間了。這不是「星期一症候群」，而是他功業之路的崎嶇，與前述的歡樂對比相當強烈，使詩人不免感歎起自己坎坷、漂泊的一生。

乖舛的際遇，加上憂時傷國的悲哀怨恨，讓李商隱這位多情詩人總是懷著悲觀主義，難以超脫，卻成就了無數典麗滄桑、意境幽渺的作品。

他還有只取詩中兩字當作題目的詩，其實也是另一種「無題」，多以象徵的手法描寫寂寞傷懷，或是對愛情的複雜心情，形式唯美，思想深刻而哀傷。

〈錦瑟〉便是這樣一首詩。只以詩句的前二字為題，令人困惑難解，後代注釋「百百款」，使得〈錦瑟〉成為一個沒有謎底的謎面。

他年近半百時，看見一把裝飾得很華麗的瑟，盯著它的五十根絃，就這麼回憶起自己的一生，於是有感而發的寫下曠世名作。

詩人怨怪錦瑟為何有那麼多絃，其實只是借題發揮，因為聽到樂音便想起了前塵往事啊。緊接著，他用「莊周夢蝶」及「蜀國望帝化為杜鵑鳥啼春」的典故，來慨歎一生迷離若夢，留不住美好光陰。

他有明珠、美玉般的才華，卻貧病交迫、功業無成，完全能體會那種時運和理想無法掌握的悲哀，美好事物可望而不可即，終致幻滅。這一切只能成為回憶了。而當我身在其中時，卻也是感到無盡的迷惘呀。

有些遭遇和情感，要等到事過境遷才會覺得可歎可惜，李商隱卻是在當下，便已有了悵然若失的，哀愁的預感。

全詩寫法跳

錦瑟

唐・李商隱

錦瑟無端五十絃，
一絃一柱思華年。
莊生曉夢迷蝴蝶，
望帝春心託杜鵑。
滄海月明珠有淚，
藍田日暖玉生煙。
此情可待成追憶，
只是當時已惘然。

錦瑟呀錦瑟，你為何平白無故有五十條弦呢？每一弦、每一音符都令我想起難忘的年華啊。我的一生，就像莊周夢蝶，似真似幻，好不迷惘！又像望帝化為杜鵑，在淒楚悲鳴中想喚回春天一樣。

回憶往昔，不禁淚下，我彷彿身在滄海之中明月之下，看到珍珠的美麗光芒，還是淚影呢？而青春美好的理想，如同藍田日暖的玉石煙氣，一靠近就看不到了。這種美好破滅的悲傷之情，哪裡是追憶起來才有的呢？其實在當時便已不勝悵惘了。

溫，讓人讀來如入撲朔迷離之境。真正的題旨雖不易懂，仍被唯美瑰麗、輾轉反側的深刻情意所吸引，為壯志難伸的抑鬱取代了美好時光而抱憾，感受到詩人的茫然若失，也似乎懂得了他四十六年的無力和無奈。

史上無可超越的大唐王朝，難道是蝴蝶做的一場夢嗎？那些曾經的美好，就像是珠有淚，也像是玉生煙，杳然不可觸摸，一一在眼前消逝。

站立在樂遊園上的詩人，面對的是光輝卻沒有餘溫的夕陽，看見的是一個龐大瑰麗王朝的背影。歷史的風塵不知從哪裡席捲而至，將一切輝煌的、華美的、衰敗的、黯淡的，全部帶走，留下的是一個偉大王朝的輪廓。而我們還有永恆的、繁盛的詩歌，在唐詩的樂遊園上悠揚迴響，一代又一代，永遠的傳唱下去。

座右銘：身無彩鳳雙飛翼，心有靈犀一點通。

遇上思想或情感契合的知音，是人生一大樂事，不必囿於居住距離的遠近、相會時間的長短，只要彼此靈犀相通，互送溫暖，也能一起做許多美好的夢，實現許多遠大的理想。

主題十二 樂遊園上的餘暉——晚唐詩

創作模式啟動

模式一、「新嫁娘」的寓言形式

古代女性將婚姻視為一生的歸宿，是她們生命中最重要的事。因此，她們總是希望自己能成為最美麗的新娘，最賢慧的妻子，最稱職的媳婦。這種戒慎恐懼、步步為營的心情，與進京趕考的考生很類似。

朱慶餘這個考生將自己的文稿送給了張籍過目，心中忐忑不安，又不能直接詢問張籍的看法，於是，用絕句編寫了一則短小的寓言，婉轉而巧妙。

我們在創作時，若能引用一則寓言，將想法表達得更清楚，不失為一種理想的寫作形式。

模式二、〈夜雨寄北〉的時空穿越術

在現實生活裡，時間是按照宇宙的規律，順序而行的。然而創作時，卻像是另外造出的一個宇宙，在這個宇宙中，時間與空間是可以由作者支配的。因此，李商隱身在巴蜀的雨夜，卻穿越到了未來、回家後與妻子重逢的時刻。

現實中不可能出現、卻又符合情理的時空交錯，會令作品更自由，也讓情感的表達更深刻。

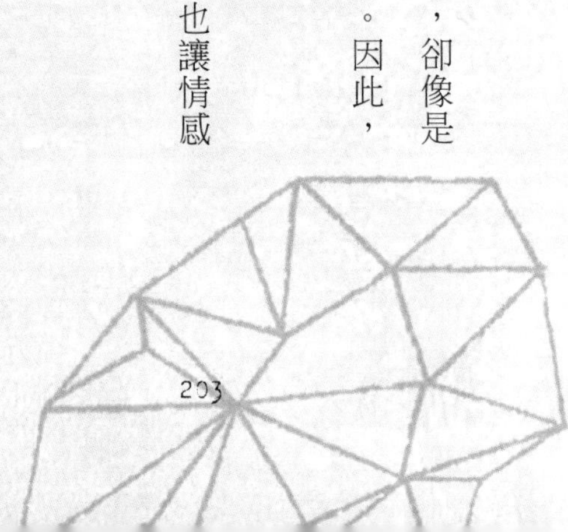

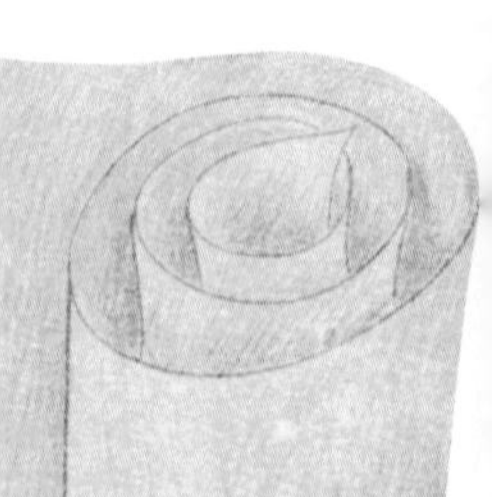

詩人點名表

項羽
（西元前二三二～前二〇二年）

名籍，字羽，秦朝末年下相人。西元前二〇七年，於鉅鹿之戰率領楚軍大破秦軍，秦朝滅亡後自封為「西楚霸王」，與「漢王」劉邦爭奪天下。西元前二〇二年，楚漢相爭在垓下之役畫下句點，十萬楚軍全軍覆沒，項羽突圍至烏江自刎身亡。有〈垓下歌〉流傳至今。

陶淵明
（西元約三六五～四二七年）

名潛，或名淵明，字元亮，自號五柳先生，世稱靖節先生，為大將軍陶侃之孫。潯陽柴桑人（今中國江西九江）。詩風清新自然，開啟田園詩體裁，為古今隱逸詩人之宗，對唐宋詩人影響極大。梁昭明太子蕭統蒐集其作品，編《陶淵明集》。

斛律金

（西元四八八～五六七年）

字阿六敦，朔州人（今中國山西朔州）。敕勒族，南北朝的三朝將軍，性格耿直，善於騎射，據說能從敵軍揚起的沙塵預知敵軍人數。曾在某次戰役挫敗後，用鮮卑語唱出民歌〈敕勒歌〉，為北齊神武帝高歡及將士們穩定軍心。

王績

（西元五八五～六四四年）

字無功，號東皐子，絳州龍門人（今中國山西河津）。詩風質樸自然，多描寫田園山水，一改前朝詩風浮靡的氣息，且為五言律詩奠基，是唐詩格律的先知者。今存《東皐子集》。

盧照鄰

（西元約六三六～六九五年）

字昇之，號幽憂子，幽州范陽人（今中國河北涿縣）。是「初唐四傑」之一，擅長詩歌、駢文，以歌行體為佳。今存《幽憂子集》、《盧昇之集》。後代子孫有聞名一時的險怪詩人盧仝。

駱賓王

（西元約六二六～？年）

字觀光，婺州義烏人（今中國浙江義烏）。是「初唐四傑」之一，詩作題材廣泛，筆力雄健，意境深遠，擅長七言歌行，五言律詩亦精煉，名作〈帝京篇〉為初唐少有的長篇詩歌。今存《駱丞集》。

李嶠

（西元六四四～七一三年）

字巨山，趙州贊皇人（今中國河北贊皇）。據說年幼時夢見有人送雙筆，從此文采精進。長於詩文，與崔融、蘇味道、杜審言合稱「文章四友」。性格剛正廉直，曾奉武則天之命復查狄仁傑謀反案，卻為其平反而違逆武后，被貶為潤州司馬。今存《李嶠集》。

杜審言

（西元約六四五～七〇八年）

字必簡，祖籍襄陽（今中國湖北襄陽）。「詩聖」杜甫的祖父，詩作多為寫景、唱和及應制之作，以渾厚見長，工於五律，對近體詩之形成與發展頗有貢獻。詩作〈和李大夫嗣真奉使存撫河東〉，為初唐近體詩中第一長篇。與李嶠、崔融、蘇味道合稱「文章四友」。今存《杜審言集》。

蘇味道

（西元六四八～七〇五年）

趙州欒城人（今中國河北欒城）。宋代「三蘇」的祖先，曾任武則天的宰相，為官處事模稜兩可，而有「蘇模稜」之稱。與李嶠、崔融、杜審言合稱「文章四友」。詩作雖多屬應制、浮豔之類，但〈正月十五夜〉一詩，卻以「火樹銀花合，星橋鐵鎖開……」等簡潔精緻的文字，生動描繪出長安城元宵夜的熱鬧盛況，成為節日詩的經典之作。今存詩作十餘首。

王勃

（西元六五〇～六七五年）

字子安，絳州龍門人（今中國山西河津）。為初唐四傑之一，詩作風格清新，多抒發個人情志，也抨擊時弊，其五言律詩有「唐人開山祖」之美譽。今存《王子安集》。

楊炯

（西元六五〇～六九三年）

華陰縣人（今中國陝西）。為初唐四傑之一，擅長五言律詩，詩風充滿戰鬥精神，氣勢豪放，尤以邊塞詩更勝。今存《盈川集》。

宋之問

（西元六五六～七一二年）

字延清，一名少連。汾州人（今中國山西汾陽），或說虢州弘農人（今中國河南靈寶）。與沈佺期齊名，時稱「沈宋」。據說曾為了奪取外甥劉希夷的〈代悲白頭翁〉詩作中的兩句「年年歲歲花相似，歲歲年年人不同。」而派人用沙包將外甥壓死。作品雖多是歌功頌德的應制詩，仍對唐詩格律演變有著極大貢獻。今存《宋之問集》。

沈佺期

（西元六五六～七一四年）

字雲卿，相州內黃人（今中國河南內黃）。與宋之問同為宮廷詩人，時稱「沈宋」。擅長五言律詩，詩作多是風格綺靡、歌舞昇平的應制詩。不過「沈宋」時期算是正式脫離唐以前的古體詩形式，對律詩的成熟與定型有著重要貢獻。

賀知章

（西元六五九～七四四年）

字季真，自號四明狂客，越州永興人（今中國浙江蕭山）。是著名的書法家，擅長草書、隸書。詩風清新淡雅，擅長絕句，尤以寫景、抒懷為甚。曾為李白的〈蜀道難〉詩作所折服，讚譽其為「天上謫仙人」；喜愛飲酒，與李白同為「飲中八仙」。後來成為道士，隱居於鏡湖。

陳子昂

（西元六六一～七〇二年）

字伯玉，梓州射洪人（今中國四川射洪）。詩風清峻剛健，語言質樸，改變六朝綺麗柔靡之風，完成唐詩革新的任務。今存《陳拾遺集》。

張九齡

（西元約六七八～七四〇年）

字子壽，一名博物，韶州曲江人（今中國廣東韶關）。人稱張曲江，是漢初三傑之一的張良的子孫。性格耿直敢言，是唐朝開元之治的賢相。之後，若有人向唐玄宗舉薦人才，玄宗就問：「其人風度得如九齡否？」可見其「曲江風度」之美譽與影響力。詩風剛健，文字質樸，託物言志，改變初唐詩風，其〈感遇〉詩在《唐詩三百首》中排名第一首。今存《曲江集》。

王之渙

（西元六八八～七四二年）

字季淩，原籍晉陽人（今中國山西太原）。擅長五言詩，以描寫邊塞風光為勝，為「邊塞詩派」的代表人物。作品常被樂工改編成歌曲，據說王之渙、王昌齡與高適曾相約到旗亭喝酒，聽見梨園伶人唱歌，三人便私下約定看誰的作品被唱的次數較多來分高下，並在牆上畫線做記號。最後，由最出色的伶人唱出了〈涼州詞〉，王之渙才略勝一籌，故有「旗亭畫壁」的典故。詩作今僅存六首，以〈登鸛雀樓〉、〈涼州詞〉為代表作。

孟浩然

（西元六八九～七四〇年）

名浩，字浩然，襄州襄陽人（今中國湖北襄陽）。又稱孟襄陽。與王維齊名，同是「田園詩派」代表人物。詩作多為絕句，題材以山水田園和隱逸為主，詩風清淡自然，不事雕飾，韻味深長，開啟盛唐山水詩之先聲。今存《孟浩然集》。

王昌齡

（西元六九〇？～七五七？年）

字少伯，京兆人（今中國陝西西安）。與高適、王之渙同為「邊塞詩派」的代表人物，有「詩家天子」的美譽。擅長七言絕句，邊塞詩氣勢雄渾憤慨；閨怨詩則哀怨淒婉，其中〈出塞〉詩被喻為唐代七絕的壓卷之作，而又被稱為「七絕聖手」。今存《王昌齡集》。

祖詠

（西元六九九～七四六？年）

洛陽人（今中國河南洛陽）。詩作以自然景物為主，風格清新接近王維、孟浩然。今存《祖詠集》。

王維

（西元約六九九～七五九年）

字摩詰，號摩詰居士，蒲州人（今中國山西永濟）。世稱王右丞，名和字均取自於《維摩詰經》中的佛門弟子維摩詰居士；且因詩中多禪理，故後世稱其爲「詩佛」。王維與孟浩然合稱「王孟」，為「田園詩派」的代表人物；他也是畫家，建立水墨山水畫派，被稱為「南宗畫之祖」，宋朝蘇軾曾讚揚：「味摩詰之詩，詩中有畫；觀摩詰之畫，畫中有詩。」此外，他亦精通佛學、音樂與書法，是個多才多藝的人。今存《王右丞集》。

李白

（西元七〇一～七六二年）

字太白，號青蓮居士，世稱「詩仙」，與杜甫齊名，時稱「李杜」。被賀知章譽為「天上謫仙人」的李白，有著謎樣的身世及多重身分：是「浪漫詩派」的代表；是行俠仗義的劍客；是虔誠求仙的道士。詩風清俊、飄然，表現出反抗傳統，追求自由的精神。今存《李太白集》。

崔顥（西元？～七五四年）

汴州人（今中國河南開封）。其邊塞詩雄渾奔放，山水詩語言清新，〈黃鶴樓〉一詩成就其文學地位。今存《崔顥集》。

王翰（生卒年不詳）

又作王瀚，字子羽，晉陽人（今中國山西太原）。性格豪放，喜歡喝酒，即使遭到貶謫，仍過著自在享樂的日子。詩作〈涼州詞〉最負盛名。

高適（西元七〇二～七六五年）

字達夫，滄州渤海人（今中國河北景縣）。與岑參齊名，世稱「高岑」，同為「邊塞詩派」代表人物。早年生活困苦，曾四處遊歷，與李白、杜甫結為好友。安史亂後官至左散騎常侍，封渤海縣侯，世稱「高常侍」。曾兩次出塞，詩風豪放，筆力雄健，主要描寫邊疆戰事、士兵生活等。今存《高常侍集》。

劉長卿（西元？～七八〇？年）

字文房，一說宣城人（今中國安徽宣州），一作河間人（今中國河北滄州）。曾任隨州刺史，世稱劉隨州。擅長五言詩，自詡為「五言長城」。詩風接近王、孟，喜描繪自然景物。今存《劉隨州集》。

錢起

（西元七一〇～七八二？年）

字仲文，吳興人（今中國浙江湖州）。「大曆十才子」之一。詩風清奇，參加科舉省試時的詩作〈湘靈鼓瑟〉，不僅讓他金榜題名，也奠定了詩壇地位。今存《錢仲文集》。

杜甫

（西元七一二～七七〇年）

字子美，自稱少陵野老，杜陵布衣，生於河南鞏縣（今中國河南鞏義），是初唐「文章四友」杜審言之孫，與晚唐詩人杜牧是遠房親戚。因曾任官職，而有「杜拾遺」、「杜工部」之稱；又因搭建草堂於少陵，亦名杜少陵、杜草堂。歷經安史之亂，詩作悲天憫人並展現唐朝由盛轉衰的歷程，被譽為「詩聖」及「詩史」，是「寫實派」代表詩人。與李白齊名，世稱「李杜」。今存《杜工部集》。

岑參

（西元七一五～七七〇年）

南陽人（今中國河南南陽）。早期詩作多為寫景述懷，詩風綺麗，後因兩次出塞，轉為描繪邊塞與戰爭景象，氣勢豪放，成為「邊塞詩派」代表人物，與高適並稱「高岑」。今存《岑嘉州詩集》。

張繼
（生卒年不詳）

字懿孫，襄州人（今中國湖北襄陽）。生平不可考，僅知為天寶年間的進士，曾任洪州鹽鐵判官。詩作爽朗，不事雕琢。今存《張祠部詩集》。

韓翃
（生卒年不詳）

字君平，南陽人（今中國河南）。「大曆十才子」之一，詩風輕巧別致，因〈寒食〉詩受到唐德宗賞識，而被提拔為中書舍人。曾與歌妓柳氏譜出戀曲，唐代詩人許堯佐將這段發生在盪動歲月中的愛情故事寫成《柳氏傳》。今存《韓君平集》。

韋應物
（西元七三七～七九二？年）

京兆人（今中國陝西長安）。世稱「韋江州」或「韋蘇州」。早年因家世顯赫，橫行鄉里，安史亂後才開始發憤讀書。是繼陶淵明、王維與孟浩然之後的田園詩名家，後人以「陶韋」或「王孟韋柳」合稱。今存《韋蘇州集》。

盧綸
（西元七四八～八〇〇？年）

字允言，河中蒲人（今中國山西永濟）。為「大曆十才子」之一。曾考上進士，卻遇上安史之亂而未能當官，亂平後再度應試屢試不進，後由宰相舉薦，才升任監察御史。貞元年間任檢校戶部郎中，又稱「盧戶部」。擅於寫景，語言精練，今存《盧允言集》。

李益

（西元七四八～八二七年）

字君虞，隴西姑臧人（今中國甘肅武威）。擅長七言絕句，以邊塞詩聞名，與族人「詩鬼」李賀齊名。因性格多疑善妒，故時人戲稱善妒者患上「李益疾」。今存《李益集》。

孟郊

（西元七五一～八一四年）

字東野，湖州武康人（今中國浙江德清）。近五十歲才考上進士，之後擔任溧陽尉，常騎著驢子到郊外作詩而荒廢公務，縣令找人頂替，並將其薪俸折半。作品以五言古詩為主，用字追求硬瘦，與賈島同以苦吟著稱，蘇軾稱其為「郊寒島瘦」；金元之際的文學家元好問則以「詩囚」稱之。今存《孟東野詩集》。

張籍

（西元七六八～八三〇年）

字文昌，烏江人（今中國安徽和縣）。因韓愈舉薦，任水部員外郎等職，時稱「張水部」或「張司業」。後患目疾，幾乎失明，有「窮瞎張太祝」之稱。詩作平易自然，對晚唐五律影響較大。與王建齊名，世稱「張王樂府」。今存《張司業集》。

王建

（西元七六八？～八三〇？年）

字仲初，穎川人（今中國河南許昌）。曾任陝州司馬，又稱「王司馬」。擅長樂府詩，反應社會現實，風格與張籍相近，世稱「張王」。其〈宮詞〉詩作百首，成為後代研究唐代宮廷生活的重要資料。今存《王司馬集》。

韓愈

（西元七六八～八二四年）

字退之，祖籍郡望昌黎郡（今中國遼寧義縣），世稱韓昌黎。與柳宗元倡導「古文運動」，合稱「韓柳」，為「唐宋八大家」之一。散文、詩均有名，其〈祭十二郎文〉與李密〈陳情表〉、諸葛亮〈出師表〉並列中國三大抒情文；詩作力求奇詭險怪，是「奇險派」之祖。今存《昌黎先生集》。

劉禹錫

（西元七七二？～八四二？年）

字夢得，自稱中山人（今中國河北定州）。曾為太子賓客，又稱「劉賓客」，是文學家、哲學家和政治家。詩作清新質樸，善用典故。與白居易合稱「劉白」；白居易稱其為「詩豪」。今存《劉夢得文集》。

白居易

（西元七七二～八四六年）

字樂天，晚號香山居士、醉吟先生，下邽人（今中國陝西渭南）。詩作用字淺白通俗，是「寫實派」詩人代表。與元稹曾同朝為官，並推行「新樂府運動」，二人詩作齊名，號「元和體」，世稱「元白」。晚年則與劉禹錫唱和甚多，有「劉白」之稱。作品在唐代詩人中流傳最廣。著有《白氏長慶集》。

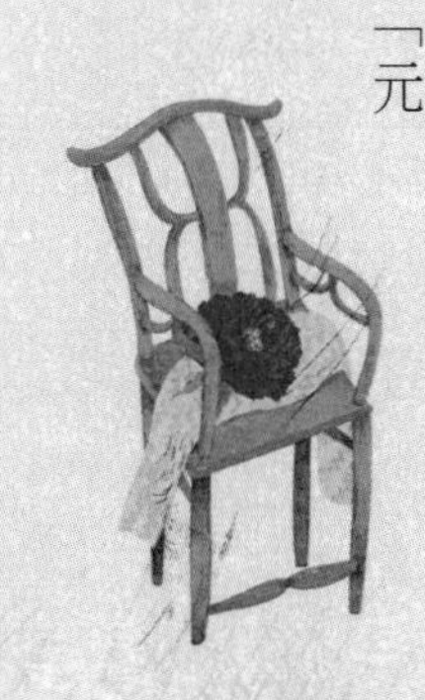

柳宗元（西元七七三～八一九年）

字子厚，河東人（今中國山西永濟）。世稱「柳河東」，又任柳州刺史，故稱「柳柳州」。與韓愈同為「古文運動」領導者，並稱「韓柳」，亦屬「唐宋八大家」。與韋應物合稱「韋柳」，是繼王維、孟浩然之後，著名的田園詩人。今存《柳河東集》。

元稹（西元七七九～八三一年）

字微之，洛陽人（今中國河南洛陽）。詩作頗受宮中嬪妃喜愛，而有「元才子」之稱。曾與白居易同朝為官，並推行「新樂府運動」，二人詩作齊名，號「元和體」，世稱「元白」，為「寫實派」詩人代表。今存《元氏長慶集》，與傳奇小說《鶯鶯傳》。

賈島（西元七八八～八四三年）

字閬仙，號無本，幽州范陽人（今中國河北涿州）。又稱「賈長江」。早年屢試不第，遂出家為僧，詩作深得韓愈賞識，後還俗。擅長五言律詩，是「苦吟詩人」的代表，詩風和孟郊相近，蘇軾稱其「郊寒島瘦」；元好問將二人並稱為「詩囚」。今存《賈長江集》。

朱慶餘（西元七九七～?年）

名可久，字慶餘，越州人（今中國浙江紹興）。詩作以生活及景物為主，詩風清新，文字細緻，今存《朱慶餘詩集》。

杜牧

（西元八〇三～八五二年）

字牧之，號樊川，京兆萬年人（今中國陝西長安）。擅長詩文及書法，詩作以五言古詩及七律為勝；書法〈張好好詩〉是唯一流傳於世的真跡。時人稱其為「小杜」，以別於杜甫；又與李商隱齊名，並稱「小李杜」。今存《樊川集》。

李商隱

（西元八一三～八五八年）

字義山，號玉谿生，懷州河內人（今中國河南沁陽）。因捲入牛李黨爭而失意潦倒，詩作多抒發懷才不遇及社會現實。詩風含蓄、詞藻華美，以七言律詩成就最高，和杜牧合稱「小李杜」；與溫庭筠合稱「溫李」；詩風與溫庭筠、段成式風格相近，且三人在家族中皆排行第十六，故並稱「三十六體」。今存《李義山詩集》。

高駢

（西元八二一～八八七年）

字千里，原籍渤海，後遷居幽州（今中國北京），是唐朝名將之後。擔任御史時曾「一箭貫雙雕」，故有「落雕御史」之稱。黃巢之亂期間，雖派驍將成功阻擊，但與宦官有怨，遂不服朝廷徵調，並擁兵自重、割據一方，後為部將所殺。

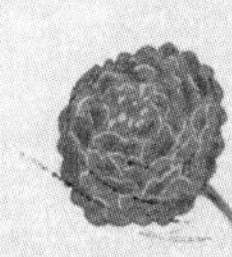

羅隱
（西元八三三～九〇九年）

本名橫，參加科舉十次未果，改名羅隱，字昭諫，餘杭人（今中國浙江餘杭）。自號江東生。為人狂妄，繼承屈原、杜甫與白居易的憂國憂民精神，詩作反映社會現實，擅長詠史詩。今存《讒書》、《羅昭諫集》。

皮日休
（西元八三四～八八三年）

字襲美，又字逸少，襄陽人（今中國湖北襄陽）。隱居鹿門山，自號鹿門子、閒氣布衣、醉吟先生。個性孤傲、詼諧好謔，魯迅稱其「正是一塌糊塗的泥塘裡的光彩和鋒芒」。與詩人陸龜蒙是好友，詩作齊名，世稱「皮陸」。今存《皮子文藪》，及與陸龜蒙唱和的《松陵集》。

陸龜蒙
（西元？～八八一年）

字魯望，蘇州吳縣人（今中國江蘇蘇州）。自號江湖散人、甫里先生，又號天隨子。其《耒耜經》一書，是中國唯一的古農具專書；又喜歡喝茶，曾撰寫《茶經》，但已失傳。與皮日休齊名，世稱「皮陸」。今存《甫里集》，及與皮日休唱和的《松陵集》。

胡曾
（西元八四〇～？年）

邵陽人（今中國湖南邵陽）。詩作以詠史詩為主，評詠歷史人物與事件，藉以託古諷今。今存《詠史詩》。

韋莊

（西元八三六？～九一〇？年）

字端己，長安杜陵人（今中國陝西西安）。詩作〈秦婦吟〉與漢代的〈孔雀東南飛〉及北朝的〈木蘭詩〉合稱「樂府三絕」；擅長寫詞，與溫庭筠同為「花間詞派」重要詞人，並稱「溫韋」。今存詩作《浣花集》，詞作則散見於《花間集》和《尊前集》等總集。

黃巢

（西元？～八八四年）

曹州冤句人（今中國山東菏澤）。鹽商出身，能文能武，科舉落榜後，因朝廷苛政，遂參與農民起義。一度攻占長安稱帝，建大齊國，後因內部分裂，屢戰屢敗後自殺身亡，史稱「黃巢之亂」。留有詩作三首，以菊花為題材，展現全新風格。

金昌緒

（生卒年不詳）

臨安人（今中國浙江杭州）。生平事蹟不詳，僅有一首〈春怨〉詩傳世。

陳陶

（西元八一二？～八八五？年）

字嵩伯，號三教布衣，劍浦人（今中國福建南平）。詩作雖多屬憂時、感歎之類，但仍散發知識分子的批判氣節。今存《陳嵩伯詩集》。

曹松

（西元八三〇～九〇三年）

字夢徵，舒州人（今中國安徽潛山），擅五言律詩，雖以「苦吟詩人」賈島為師，詩風卻不幽澀。七十一歲才中進士，與王希羽、劉象、柯崇、鄭希顏合稱「五老榜」。今存《曹夢徵詩集》。

蘇軾

（西元一〇三六～一一〇一年）

字子瞻，號東坡居士，宋代眉州眉山人（今中國四川眉山）。仕途雖不得志，卻是中國文學藝術史上罕見的全才。擅長詩、詞、賦、散文、書法和繪畫。與父蘇洵、弟蘇轍合稱「三蘇」，同為「唐宋古文八大家」；散文與歐陽修並稱「歐蘇」；詩與黃庭堅並稱「蘇黃」；與陸遊並稱「蘇陸」；詞與辛棄疾並稱「蘇辛」；書法名列北宋四大家；畫作則開創「湖州畫派」。文章雄渾暢達；詩作清新雋逸，並引領詞風，由婉約進入豪放，影響後代深遠。今存《東坡集》、《東坡詞》。

李綱

（西元一〇八三～一一四〇年）

字伯紀，宋代邵武人（今中國福建邵武）。北宋靖康元年曾擊退金兵，宋室南渡後，曾任南宋宰相，雖勵精圖治，但遭主和派排擠，僅七十五天便遭罷相。詩作充滿愛國思想。今存《梁溪集》。

李清照
（西元一〇八四～一一五五？年）

字易安，號漱玉，自號易安居士，宋代齊州章丘人（今中國山東濟南）。中國最有名的女詞人，父親李格非為文學家，夫趙明誠為金石考據家。早期作品以傷春怨別為主，靖康之變避亂江南後，充滿物是人非的傷情。詞風獨樹一格，有「易安體」之譽，與李白、李煜並稱「詞家三李」。除了詞作，亦有少許詩作留存。今存《李清照集校注》。

杜耒
（西元？～一二二五？年）

字子野，號小山，宋代盱江人（今中國江西臨川）。詩風質樸，〈寒夜〉為其代表作。

楊萬里
（西元一一二七～一二〇六年）

字廷秀，號誠齋，宋代吉州吉水人（今中國江西）。前期詩作模仿江西詩派，追求形式，後來焚盡千首詩篇，改以萬物為師。詩風自然清新，時稱「誠齋體」。與尤袤、范成大、陸遊齊名，稱南宋四大家。今存《誠齋集》等。

僧志南
（生卒年不詳）

宋代詩僧，法號志南。生平不可考。〈絕句〉一詩讓其留名千古。

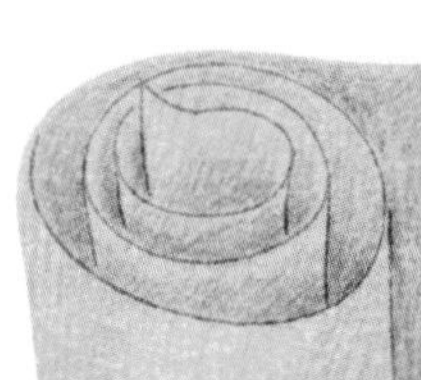

包彬

（西元一六九二～一七四九年）

字文在，號樸莊，又號惕齋，清代江陰人（今中國江蘇無錫）。詩作多為山水詩，有紀遊性質。今存《樸莊詩稾》。

趙翼

（西元一七二七～一八一四年）

字耘崧，號甌北，晚號三半老人，清代江蘇陽湖人（今中國江蘇常州）。為史學家、文學家，擅長五言古詩，和袁枚、蔣士銓並稱「江右三大家」，又與袁枚、張問陶並稱「清代性靈派三大家」。今存《二十二史劄記》等。

龔自珍

（西元一七九二～一八四一年）

字璱人，號定盦，清代浙江仁和人（今中國浙江杭州）。為清朝文字學家段玉裁的外孫，是思想家和文學家。詩作思想先進，批判社會現實。今存《定盦全集》。

國家圖書館出版品預行編目資料

唐詩樂遊園（下）/ 張曼娟、黃羿瓅著 ；
王書曼繪圖 -- 第一版 -- 臺北市：遠見天下文化, 2013.10
冊； 公分. --（張曼娟逍遙遊）

ISBN 978-986-320-324-7（平裝）

831.4 102022059

唐詩樂遊園（下）

作　者	張曼娟、黃羿瓅
企　劃	高培耘
創作協力	李胤霆
繪　圖	王書曼
總編輯	吳佩穎
責任編輯	吳毓珍
封面設計	張議文
美術設計	王書曼
出 版 者	遠見天下文化出版股份有限公司
創 辦 人	高希均、王力行
遠見・天下文化 事業群榮譽董事長	高希均
遠見・天下文化 事業群董事長	王力行
天下文化社長	王力行
天下文化總經理	鄧瑋羚
國際事務開發部兼版權中心總監	潘欣
法律顧問	理律法律事務所陳長文律師
著作權顧問	魏啟翔律師
社　址	台北市104松江路93巷1號2樓
讀者服務專線	（02）2662-0012
傳　真	（02）2662-0007；（02）2662-0009
電子信箱	cwpc@cwgv.com.tw
直接郵撥帳號	1326703-6號　遠見天下文化出版股份有限公司
製 版 廠	中原造像股份有限公司
印 刷 廠	中原造像股份有限公司
裝 訂 廠	中原造像股份有限公司
登 記 證	局版台業字第2517號
總 經 銷	大和書報圖書股份有限公司　電話（02）8990-2588
出版日期	2018年 3 月22日第一版第1次印行 2024年 5 月15日第二版第4次印行 定價／380元
	4713510945155 書號：BLC078A

天下文化官網 bookzone.cwgv.com.tw

天下文化

BELIEVE IN READING